MEDITAÇÕES

O livro é a porta que se abre para a realização do homem.

Jair Lot Vieira

MEDITAÇÕES
MARCO AURÉLIO

Tradução, introdução e notas
EDSON BINI
Estudou filosofia na Faculdade de Filosofia,
Letras e Ciências Humanas da USP.
É tradutor há mais de 40 anos.

Copyright da tradução e desta edição © 2019 by Edipro Edições Profissionais Ltda.

Título original: ΤΩΝ ΕΙΣ ΕΑΥΤΟΝ. Traduzido com base no texto grego estabelecido por Ioannes Stich e publicado em 1903 pela Teubner, em Leipzig, Alemanha.

Todos os direitos reservados. Nenhuma parte deste livro poderá ser reproduzida ou transmitida de qualquer forma ou por quaisquer meios, eletrônicos ou mecânicos, incluindo fotocópia, gravação ou qualquer sistema de armazenamento e recuperação de informações, sem permissão por escrito do editor.

Grafia conforme o novo Acordo Ortográfico da Língua Portuguesa.

1ª edição, 12ª reimpressão 2024.

Editores: Jair Lot Vieira e Maíra Lot Vieira Micales
Coordenação editorial: Fernanda Godoy Tarcinalli
Tradução, introdução e notas: Edson Bini
Produção editorial: Carla Bitelli
Edição de texto: Marta Almeida de Sá
Assistente editorial: Thiago Santos
Preparação: Cátia de Almeida
Revisão: Flávia Yacubian
Diagramação: Estúdio Design do Livro
Capa: Marília Bruno
Crédito da imagem de capa: wynnter/iStock/Getty Images

Dados Internacionais de Catalogação na Publicação (CIP)
(Câmara Brasileira do Livro, SP, Brasil)

Aurélio, Marco, 121-180.

    Meditações / Marco Aurélio; tradução e notas de Edson Bini. – São Paulo: Edipro, 2019.

    Título original: ΤΩΝ ΕΙΣ ΕΑΥΤΟΝ.
    ISBN 978-85-521-0091-1 (impresso)
    ISBN 978-85-521-0092-8 (e-pub)

    1. Aforismos 2. Filosofia antiga 3. Marco Aurélio, Imperador de Roma, 121-180. Meditações I. Bini, Edson. II. Título.

19-29869   CDD-100

Índice para catálogo sistemático:
1. Aforismos : Filosofia : 100

Iolanda Rodrigues Biode – Bibliotecária – CRB-8/10014

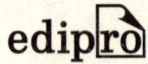

São Paulo: (11) 3107-7050 • Bauru: (14) 3234-4121
www.edipro.com.br • edipro@edipro.com.br
@editoraedipro   @editoraedipro

SUMÁRIO

Introdução   9

Nota do tradutor   13

Livro I   15

Livro II   25

Livro III   33

Livro IV   41

Livro V   55

Livro VI   67

Livro VII   81

Livro VIII   95

Livro IX   109

Livro X   121

Livro XI   135

Livro XII   147

Marco Aurélio: breves traços biográficos   157

INTRODUÇÃO

Esta obra de Marco Aurélio Antonino (121 d.C.-180 d.C.) é um texto peculiar em mais de um aspecto.

Em primeiro lugar, não é propriamente uma obra literária ou filosófica na acepção específica e técnica desses adjetivos, mas sim uma espécie de diário em que alguém registrou reflexões endereçadas a si mesmo, e não intencionalmente a leitores. Embora o título *Meditações* tenha se consolidado e se consagrado e seja, admitimos, precisamente o que o autor realiza – isto é, ele medita –, o nome original *ΤΩΝ ΕΙΣ ΕΑΥΤΟΝ* ([*Reflexões*] *para si mesmo*) indica explicitamente o caráter de privacidade e até intimista desses escritos. O visível tom de autoadmoestação, autocrítica, confissão e, por vezes, desabafo perpassa todas as seções dos doze livros que compõem o conjunto de reflexões, sugerindo o cunho estritamente pessoal de um diário atípico *que não era para ser publicado*.

É de se presumir, todavia, que o manuscrito tenha saído do círculo privado do *entourage* de Marco Aurélio e do controle de seus descendentes por ocasião de sua morte, em 180 d.C. O fato é que uma cópia foi preservada. De qualquer modo, foi somente depois de muitos séculos, em meados do século XVI, que esse manuscrito caiu nas mãos de um editor que decidiu publicá-lo. Os pormenores em torno dessa questão não nos interessam aqui.

Em segundo lugar, a nosso ver, *Meditações* não é, o que já se depreende da primeira peculiaridade, um ensaio ou tratado filosófico. Ainda que seja um expressivo repositório de máximas filosóficas, não é uma obra de filosofia, se entendemos por esta um texto que expõe uma doutrina filosófica específica e própria. Acreditamos que Marco Aurélio não foi exatamente um *filósofo* estoico, mas sim um *estoico*, uma vez que levou à prática e em larga escala os princípios da doutrina estoica, tanto no âmbito pessoal como, na medida do possível, em sua intensa e árdua atividade como governante do Império Romano.

Os princípios que inspiraram Marco Aurélio, esse imperador invulgar, como homem e romano estão obviamente disseminados nestas *Meditações*, expressos de maneira concisa, clara e reiterada. O que captamos de suas ponderações é o que podemos chamar, *grosso modo*, da mais pragmática versão romana do estoicismo grego, sediada, sobretudo, em Epicteto.

Para Marco Aurélio, a filosofia se reduz, a rigor, àquilo que Aristóteles classificou como *ciências práticas*, especialmente a ética, a política e a retórica. A maior importância da ética é claramente destacada, já que a *prática* das virtudes (ἀρεταί [*aretaí*]), não só das ditas clássicas – sabedoria (φρόνεσις [*phrónesis*]), justiça (δικαιοσύνη [*dikaiosýne*]), moderação (σωφροσύνη [*sophrosýne*]) e coragem (ἀνδρεία [*andreía*]) – como também das caracteristicamente estoicas – impassibilidade (ἀπάθεια [*apátheia*]), simplicidade (ἁπλότης [*haplótes*]), benevolência (εὐμένεια [*eyméneia*]), espírito comunitário (κοινωνία [*koinonía*]) e resignação ou aceitação (συμφρόνεσις [*symphrónesis*]) –, é o *fundamento* da existência de todo e qualquer indivíduo.

Sob esse ângulo, o estoicismo, segundo Marco Aurélio, constitui uma forma de filosofia da práxis ou pragmatismo (πρᾶξις [*prâxis*], ação; πρᾶγμα [*prâgma*], aquilo que se faz), em que não há espaço nem motivo para nos ocuparmos das *ciências teóricas ou especulativas*, no dizer de Aristóteles, como a metafísica (ontologia). No entanto, se para o mestre do Liceu a ética estava subordinada à política, para o estoico Marco Aurélio, é o oposto: foi do homem que praticava as virtudes que nasceu o estadista que governou o Império.

E quanto à religião? Não confundamos religião com metafísica. Particularmente na Antiguidade, ainda que isso também atinja a Idade Média, o vínculo entre religião e política é estreito.

Apesar das alterações que efetivamente implantou em Roma e em todo o Império, Marco Aurélio não produziu nenhuma revolução (no sentido mais abrangente da palavra) na estrutura do mundo romano, em suas instituições e valores. Para ele, a religião era a religião do Estado (πόλις [*pólis*]), como o fora nas cidades-Estados gregas (Atenas, Esparta, Creta etc.).

Essa concepção se opõe ao pensamento estoico? De modo algum. O estoicismo, para arriscarmos o emprego de um termo talvez impróprio ou intempestivo, é uma doutrina *materialista* e panteísta. O estoico não reconhece um deus como poder supremo, absoluto, *transcendente* e inacessível à razão humana. O universo, o Todo (ὅλος [*hólos*], πᾶν [*pân*]) *imanente* é "Deus", e os deuses da religião politeísta romana são suas emanações visivelmente representadas pelas artes sob a forma humana.

Marco Aurélio, portanto, recomenda insistentemente a devoção religiosa (ὁσιότης [*hosiótes*]) ou o culto aos deuses (θεοί [*theoí*]) do Estado. Aconselha, ainda, o culto e acato, em nível individual, ao δαίμων (*daímon*), que traduzimos nesta obra como "divindade tutelar". Outro aspecto religioso: a Providência (πρόνοια [*prónoia*]) procede do universo e se conjuga com a natureza (φύσις [*phýsis*]).

As questões metafísicas favoritas da filosofia clássica, particularmente da filosofia platônica, estão evidentemente ausentes, como a imortalidade da alma (ψυχή [*psykhé*]) *individual* e a metempsicose. Para o estoicismo, nós, indivíduos, somos partículas desintegradas e destacadas do universo (o Todo); ao morrermos, tudo o que se pode esperar é que sejamos, com a extinção da individualidade, reintegrados e reabsorvidos no universo. O estoicismo também envolve ceticismo, o que se pode verificar em várias passagens das *Meditações*: a ideia é que *não é possível ter certeza da existência dos deuses, mas nem por isso devemos deixar de venerá-los*. O que parece aqui ser um paradoxo, ou até um contrassenso, é justificado graças ao pragmatismo, pois é útil e conveniente venerá-los já que são os deuses da religião oficial do Estado.

A postura filosófica, por assim dizer, de Marco Aurélio está sintetizada em três princípios a serem seguidos:

- Prática das virtudes (o que significa total repúdio aos vícios e ao mal em geral), incluindo particularmente a resignação diante de todos os fatos e acontecimentos, o acatamento do que é determinado pela Providência e pela natureza, a impassibilidade e indiferença quanto às coisas mundanas (prazeres, dores, riqueza, glória, poder, honrarias etc.) e a benevolência para com todos.
- Devoção religiosa, culto aos deuses e divindades tutelares e obediência às leis.
- Em todas as ações virtuosas, ter em vista sempre o interesse da comunidade e não o individual; o indivíduo existe enquanto membro da comunidade e não isoladamente.

Como afirmamos no início desta apresentação, o que se apreende como mais importante na personalidade de Marco Aurélio e que se impõe como marca de grandeza e coerência é o fato de ele ter sido *estoico* e não simplesmente um filósofo ou teórico do estoicismo. Durante sua vida, praticou largamente os princípios da filosofia de que se tornou adepto, com aqueles com os quais conviveu, isto é, familiares, parentes, escravos, assessores, subordinados de toda espécie, generais, soldados, representantes de outras nações, amigos e... inimigos. Em uma das reprimendas que dirige a si mesmo nas *Meditações*, ele diz: "Não se trata mais, em absoluto, da discussão em torno do que deve ser o homem bom, mas sim de ser o homem bom" (Livro X, meditação 16).

A benevolência e a compreensão de Marco Aurélio diante das fraquezas humanas se manifestaram em inúmeros ensejos, como quando se dispôs a perdoar Avídio Cássio (oficial do exército e governador das províncias do leste do Império), que, tendo pressuposto sua morte, apressou-se em declarar-se imperador; sua tolerância e indulgência se revelaram inesgotáveis com seu filho Cômodo, debochado e irresponsável; ou ao lidar com seu irmão adotivo Lúcio Vero, superficial, licencioso e irresponsável.

Sensível à condição precária da plebe romana e dos habitantes pobres das províncias, Marco Aurélio reduziu seus tributos e perdoou dívidas com o Estado dos cidadãos não pertencentes ao patriciado. Preocupado com a formação da mulher, criou uma subvenção especial do Estado garantindo a instrução de meninas de famílias carentes. Embora não tenha abolido os combates sangrentos do circo romano, estabeleceu regras a serem aplicadas para reduzir sua brutalidade.

Chega a ser um paradoxo sublime que o homem mais poderoso do mundo ocidental daquela época jamais tenha sido seduzido pelo poder para humilhar e esmagar os menos fortes e os fracos. Marco Aurélio considerava-se, na verdade, o maior servo do Império Romano, e administrá-lo para ele era um dever e uma missão, ainda que fosse um pesado fardo.

Edson Bini

NOTA DO TRADUTOR

Esta tradução foi feita com base no texto grego. Para tanto, servimo-nos do texto estabelecido por Ioannes Stich, publicado pela Teubner.

Adicionamos notas que, como apêndices da tradução, procuram suprir prontos esclarecimentos e informações básicas ao leitor. Tais notas têm caráter histórico, mitológico, filosófico, literário e linguístico. Algumas ressaltam sentenças filosóficas que nos parecem especialmente importantes. Ademais, para facilitar a compreensão de alguns trechos, fizemos acréscimos que destacamos entre colchetes.

Esta obra de Marco Aurélio não é um texto técnico de filosofia, que procura expor exaustivamente um sistema filosófico. Por essa razão, não entendemos haver necessidade de acrescer muitas notas explicativas com relação a esse tema.

No registro dos nomes próprios, não utilizamos um padrão inflexível. Assim, ao indicar nomes completos, escrevemos, por exemplo, Domitia Lucilla, em vez de Domícia Lucila; Gaius Julius Caesar, em vez de Caio Júlio César; Fabius Catullinus, em vez de Fábio Catulino; Publius Cornelius Scipio, em vez de Públio Cornélio Cipião. Desse modo, buscamos manter a propriedade das designações latinas. Quando indicamos apenas o prenome, escrevemos simplesmente Lucila, César, Tibério, Lépido etc.

Cientes de nossas limitações, solicitamos ao leitor, razão de ser de nosso trabalho, que fique à vontade para enviar críticas e sugestões à editora com a finalidade de contribuir para retificações e aprimoramentos de próximas edições.

Agradecemos antecipadamente.

LIVRO I

1.[1] De meu avô Vero,[2] herdei o bom caráter e a serenidade.

2. Da reputação e memória de meu genitor,[3] a discrição e a virilidade.

3. De minha mãe,[4] a religiosidade e a generosidade; e não apenas deixar de fazer o mal como nem sequer pensar nele. Dela também herdei o gênero simples de vida, muito distante do gênero de vida dos ricos.

4. De meu bisavô,[5] não ter frequentado escola pública, dispor de bons professores em casa e saber que, com isso, se deve gastar largamente.

5. Daquele que me educou,[6] no circo, não aderir *aos verdes nem aos azuis,*[7] *nem aos parmulários ou aos secutores.*[8] Também com ele aprendi a suportar as fadigas e ter poucas necessidades, bem como a trabalhar com minhas mãos e evitar aflições; ademais esquivar-me de dar acolhida a calúnias.

6. De Diogneto,[9] não me ater a preocupações inúteis; não dar crédito a imposturas de magos e encantadores que dizem que afastam divindades

---

1. No texto estabelecido por Ioannes Stich, não há numeração nos primeiros parágrafos de nenhum dos doze livros.
2. Annius Verus foi uma figura expressiva no Império Romano. Foi cônsul por duas vezes e prefeito de Roma. Após a morte de seu filho, o pai biológico de Marco Aurélio, este ficou sob seus cuidados.
3. P. Annius Verus, pai biológico de Marco Aurélio, faleceu ainda na juventude.
4. Trata-se de Domitia Lucilla.
5. Catilius Severus, bisavô materno de Marco Aurélio. Também homem importante em Roma, ocupou por duas vezes o consulado e foi prefeito de Roma.
6. Marco Aurélio alude a um preceptor que desconhecemos.
7. No original, "μήτε Πρασιανὸς μήτε Βενετιανὸς," (*méte Prasianòs méte Benetianòs,*). São cores que identificavam as equipes ou os partidos (*factiones*) de corredores de bigas no circo romano; além de *prasina* (verdes) e *veneta* (azuis), havia *albata* (brancos) e *russata* (vermelhos).
8. No original, "μήτε Παλμουλάριος ἢ Σκουτάριος" (*méte Palmoylários è Skoytários*). Os primeiros eram os gladiadores que, além do gládio, empunhavam um escudo redondo (*parma*) ou um pequeno escudo redondo (*parmula*); os segundos empunhavam rede e tridente.
9. Filósofo e pintor grego.

más e realizam coisas extraordinárias por meio de seus discursos; não criar codornas nem se entusiasmar com coisas desse tipo; perseverar na franqueza e familiarizar-me com a filosofia, atentando primeiramente ao ensinamento de Báquio, depois de Tandasis e Marciano;[10] some-se a isso, escrever diálogos já na infância; desejar preferivelmente um leito revestido de couro e muitas outras coisas assim, segundo a disciplina orientada pela filosofia grega.

7. De Rústico,[11] recebi a ideia da necessidade de uma conduta correta e do cuidado para o aprimoramento moral; [aprendi a] não desviar para o ardor retórico *sofístico*,[12] não escrever obras de caráter especulativo, não proferir discursos maliciosos que atraem a atenção nem produzir uma exibição que impressiona a imaginação no feitio dos atletas ou no do homem beneficente; e ele me fez ficar longe da retórica, da poética e do discurso elegante e afetado;[13] não circular pela casa trajando meu manto e nada fazer de semelhante; com ele, aprendi a escrever cartas com simplicidade, como aquela por ele escrita de Sinoessa[14] para minha mãe; ademais, ensinou-me a me reconciliar com quem se indispusesse comigo ou cometesse alguma ofensa, tão cedo houvesse para isso indulgência e flexibilidade; com ele, também aprendi a ler com precisão, a não aceitar tudo superficialmente nem me apressar em dar assentimento; e graças a ele tive contato com as memórias de Epicteto, dando-me um exemplar de seu próprio acervo.

8. De Apolônio,[15] a liberdade e a ponderação *à prova de contestação*;[16] e não ter outro guia, nem por um momento que seja, além da razão; e ser sempre o mesmo nas dores agudas, na perda de um filho, nas enfermidades de longa duração; e, em um modelo vivo, ver distintamente que o mesmo indivíduo é capaz de ser tanto maximamente resoluto quanto

---

10. Não dispomos de informações sobre os dois primeiros, Báquio e Tandasis. Marciano pode ser o mestre que ministrou aulas de Direito a Marco Aurélio.
11. Filósofo estoico e assessor de Marco Aurélio.
12. No original, "σοφιστικὸν" (*sophistikòn*). O termo aqui, dentro da tradição inaugurada por Sócrates e Platão, tem peso negativo.
13. Uma das virtudes importantes para o estoico, inclusive no falar, é a simplicidade (ἁπλότης [*haplótes*]).
14. Cidade localizada na Campânia (sul da Itália).
15. Filósofo estoico.
16. No original, "ἀναμφιβόλως" (*anamphibólos*).

ceder; e não ser rabugento nas explicações; e ter visto diante de mim um ser humano que claramente considerava sua habilidade e sua experiência de transmitir princípios como as menores de suas qualificações; e com ele aprendi a acolher favores tidos como bons dos amigos sem me humilhar por causa disso nem deixar de conferir a devida atenção a esse gesto.

9. De Sexto,[17] *a benevolência*;[18] e o modelo da família conduzida pela autoridade paterna; e a concepção de uma vida de acordo com a natureza; e ser ilustre sem afetação; e considerar os propósitos dos amigos com solicitude; e tolerar *os ignorantes*[19] e os que tomam decisões sem ponderação; e harmonizar-se com todos, de maneira a ser mais agradável conversar do que recorrer à adulação, pois impunha ele máximo respeito aos que lhe faziam companhia; e era capaz de descobrir e organizar, com inteligência e método, os princípios necessários à vida; e não manifestava jamais ira ou alguma outra paixão, sendo simultaneamente não passional e sumamente afetuoso; e proferia palavras de aprovação sem alarde, sendo, ademais, detentor de largo saber, sem, contudo, ostentar.

10. De Alexandre,[20] o gramático, não censurar nem interromper alguém de modo ultrajante por conta de um barbarismo, uma falha relacionada às regras de linguagem ou à pronúncia desagradável, mas habilmente orientar a única expressão a ser proferida, seja a título de uma resposta, seja uma aprovação, seja uma confirmação comum em torno do mesmo assunto, sem levar em conta a forma, seja ainda mediante alguma outra advertência oportuna feita de maneira conveniente e agradável.

11. De Fronto,[21] aprendi o quanto a inveja, a astúcia e a hipocrisia dizem respeito à tirania, e como aqueles que chamamos ordinariamente de *patrícios*[22] são, de algum modo, pessoas mais desprovidas de afeição.

---

17. Filósofo estoico de Queroneia (Grécia), sobrinho de Plutarco.
18. No original, "τὸ εὐμενές" (*tò eymenés*).
19. No original, "τῶν ἰδιωτῶν" (*tôn idiotôn*). São pessoas destituídas de conhecimento, especialmente aquelas leigas nas artes.
20. Alexandre de Selêucia, professor de grego de Marco Aurélio.
21. Marcus Cornelius Fronto, embora de linhagem romana, nasceu na Numídia (norte da África). Transferiu-se para Roma durante o governo de Adriano, entre 117 d.C.-138 d.C., e tornou-se eminente e prestigiado retórico. Foi tutor de Marco Aurélio.
22. No original, "εὐπατρίδαι" (*eypatrídai*). Cidadãos pertencentes à classe nobre de Roma, em contraposição aos plebeus.

12. De Alexandre,²³ o platônico, não dizer nem escrever a alguém em uma carta (frequente ou desnecessariamente): estou ocupado, tampouco, dessa maneira, sob o pretexto de negócios urgentes, fugir constantemente dos deveres para com aqueles com quem convivemos.

13. De Catulo,²⁴ não desprezar um amigo por ser acusado por ele, ainda que sua acusação seja eventualmente sem razão, mas me empenhar em fazê-lo retornar a sua disposição anterior; quanto a meus mestres, elogiá-los com ardor, como se deve lembrar de Domício e Atenodoto;²⁵ e quanto a minhas crianças, a elas conceder uma autêntica afeição.

14. *De meu irmão Severo,*²⁶ o amor à família, o amor à verdade e o amor à justiça; e por seu intermédio ter conhecido Trásio, Helvídio, Catão, Dion, Brutus²⁷ e ter concebido a ideia de uma forma de governo de igualdade perante a lei, exercido considerando a igualdade de direitos e a igualdade de liberdade de expressão, e de uma realeza defensora, acima de tudo, da liberdade dos governados; dele também herdei a coerência e a persistência no que se refere à filosofia; e a disposição de fazer o bem e compartilhar copiosamente, além de alimentar boas esperanças e crer ser objeto do amor dos amigos; e não ocultar o que pensava daqueles que censurava; e seus amigos não precisavam conjecturar sobre o que ele queria ou não queria, sendo isso, pelo contrário, evidente.

15. De Máximo,²⁸ o autocontrole e não perder o rumo certo por nada; e a plena confiança e o bom humor em outras situações, inclusive

---

23. A identificação deste Alexandre é difícil. A hipótese de Filostrato de Lemnos, sofista contemporâneo de Marco Aurélio, é que teria sido um secretário grego dele.
24. Cinna Catulus, filósofo estoico.
25. Nada sabemos do primeiro. Atenodoto foi mestre de Marcus Cornelius Fronto.
26. No original, "τοῦ ἀδελφοῦ μου Σεουήρου" (*toŷ adelphoŷ moy Seoyéroy*). Há certa polêmica em torno da identidade deste Severo, mas tudo indica que Marco Aurélio se refere a Catilius Severus, seguidor da doutrina aristotélica, cujo filho casou-se com Fadila, a segunda filha de Marco Aurélio. Não era irmão de sangue ou adotivo de Marco Aurélio, o termo aqui tem cunho apenas afetivo, já que eram muito amigos.
27. São todos estoicos. Thrasea Paetus era filósofo, senador, opositor a Nero, que o condenou à morte; Helvidius Priscus, genro de Trásio, foi a princípio banido por Nero para, depois, ser executado por ordem de Vespasiano; Catão, o Jovem, também estoico, viveu no conturbado período entre o fim da República e o início do Império e suicidou-se em 46 a.C. Nada sabemos especificamente sobre Dion e Brutus, aos quais Marco Aurélio aqui se refere.
28. O estoico Claudius Maximus ocupou vários cargos públicos no decorrer do governo de Marco Aurélio: foi cônsul, legado na Panônia (região que hoje engloba partes de Hungria, Áustria, Croácia, Sérvia, Eslovênia, Eslováquia e Bósnia e Herzegovina), e procônsul na África.

nas doenças; e a mescla no caráter de doçura e seriedade; e realizar o que está diante de si sem reclamação; e todos acreditavam que seu discurso correspondia a seu pensamento, e suas ações não eram realizadas com maldade. E não era pessoa de se deixar assombrar-se e atemorizar-se, e de maneira alguma precipitar-se, ou adiar algo, ou não saber o próprio rumo, ou baixar a cabeça em desalento, ou rir para disfarçar a irritação; ou, pelo contrário, irritar-se ou olhar os indivíduos com suspeição; era de fazer o bem e perdoar, avesso à falsidade, e aparentava mais ser um homem que não podia ser desviado da retidão do que um indivíduo que fora corrigido; também era de se observar que ninguém podia se crer desprezado por ele nem arriscar pensar ser alguém melhor que ele; além disso, era uma pessoa que demonstrava reconhecimento.

16. De meu pai,[29] herdei a polidez e a paciência exercidas com calma e firmeza nas decisões tomadas meticulosamente; e a indiferença em relação à vanglória nas coisas chamadas honras; e o amor ao trabalho e à persistência; e a disposição para escutar aqueles que contribuem para o interesse comum; e a determinação inflexível de atribuir a cada um o que é de seu merecimento; e saber com base na experiência quando agarrar de modo tenaz uma vantagem e quando abrir mão dela; *e abolir a paixão por adolescentes*;[30] e o sentimento de igualdade com relação aos outros, dispensando, ademais, os amigos da obrigação de acompanhá-lo nas refeições e de obrigatoriamente fazer-lhe companhia em viagens ao estrangeiro, sendo que aqueles que nisso deixaram de atendê-lo em razão de quaisquer necessidades nele sempre encontraram a mesma pessoa; também dele herdei o costume de examinar rigorosamente quando se trata de deliberações e ser tenaz, não suspendendo o exame por satisfazer-se com ideias repentinas e fáceis; preservar zelosamente os amigos, sem deles logo desgostar nem ter por eles uma afeição exacerbada; contentar-se com tudo e manter a alegria; ser previdente com o futuro e dispor antecipadamente as menores minúcias sem fazer disso uma tragédia; reduzir

---

29. Antonino Pio, imperador romano de 138 d.C. a 161 d.C., pai adotivo e antecessor de Marco Aurélio. Desposara a irmã de P. Annius Verus, pai biológico de Marco Aurélio, o que fizera dele inicialmente seu tio.
30. No original, "καὶ τὸ παῦσαι τὰ περὶ τοὺς ἔρωτας τῶν μειρακίων·" (*kaì tò paysai tà perì toỳs érotas tôn meirakíon*). Trata-se de um incomum repúdio a um costume dos homens atenienses da era de Péricles.

os clamores e toda espécie de bajulação dirigidos a si; cuidar sempre vigilantemente das coisas necessárias ao governo, administrar os recursos com tal rigor, a ponto de resignar-se pacientemente a ser censurado por alguns; não venerar os deuses supersticiosamente, não agradar aos homens por ambição nem conquistar o favor do povo mediante artifícios, mas ser prudente em tudo, firme, não destituído do senso do que é belo e nobre nem meramente inovador. E gozar das facilidades da vida, permitidas pela abundância propiciada por sua fortuna, sem manifestar orgulho, gabar-se ou ao mesmo tempo hesitar, de modo a usufruí--las livremente quando presentes sem exibir ansiedade nem afetação e, quando ausentes, delas não carecer; não ser da parte de pessoa alguma objeto de louvor nem como um sofista, nem como um vernaculista, nem como um estudioso, mas como um homem maduro, completo, que não se deixa bajular, capaz de governar a si mesmo e aos outros. No que diz respeito aos verdadeiros filósofos, ele rendia-lhes honras, sem, porém, criticar insultuosamente aqueles que não eram, ainda que não se deixasse seduzir por estes últimos; era, ademais, afável, sem, entretanto, levar sua amabilidade às raias da conversação excessiva e fatigante; cuidava do próprio corpo com moderação, sem apego à vida, sem visar ao embelezamento, mas sem dele negligenciar; disso resultou que, em razão da própria aplicação, necessitou minimamente de medicina ou de remédios de uso oral e daqueles de uso tópico. Acima de tudo, quanto, de modo destituído de inveja, ele cedia a qualquer um detentor de uma capacidade, por exemplo, a eloquência, o conhecimento das leis ou dos costumes, ou quaisquer outras matérias; e como contribuía, com sua atenção e diligência, para que cada um deles, em sua área característica em que era o melhor, granjeasse boa reputação. Em toda a sua conduta, observava os costumes dos ancestrais, embora não parecesse ele próprio praticá-los. Ademais, não era inconstante nem de se inquietar facilmente, preferindo passar seu tempo nos mesmos lugares e nos mesmos negócios; e depois de agudas crises de dor de cabeça voltava diretamente, renovado e com todo vigor às atividades habituais; não mantinha muitos segredos, mas pouquíssimos e sumamente esporádicos, que eram referentes exclusivamente às coisas públicas; no que toca a estas, era sensato e moderado na realização de espetáculos e na organização de obras, bem como no compartilhar generoso com o povo e em outras coisas desse gênero. Em tudo isso, agia mais em função das necessidades do que da glória que pudesse resultar para si de suas ações. Não gostava de banhar-se em um horário indevido, nem de edificar construções, nem se preocupava com seus alimentos, nem com o tecido ou as cores de seus trajes nem com a beleza do corpo. Suas roupas provinham de Lório,[31] sua residência no litoral, e em Lanúvio[32] vestia frequentemente apenas uma túnica; ao receber impostos em Túsculo,[33] raramente chegava a vestir um manto sem se desculpar por isso. Não era cruel, nem suspeitoso, nem temerário, tampouco dele se podia dizer que, ao fazer algo com seriedade e propósito, era tomado de ansiedade a ponto de suar; pelo contrário, tudo era por ele administrado com nítida ponderação, como no lazer, de modo calmo, ordenado, firme e harmonioso. A ele poder-se-ia aplicar o que é lembrado com referência a Sócrates,[34] pois sabia se privar e fruir daquilo diante de cuja carência a maioria das pessoas se debilita e cuja fruição a torna destituída de moderação. Conservar-se forte e constante na trilha da moderação e da sobriedade em todas as situações é marca de um homem possuidor de uma alma íntegra e imbatível; e foi assim que ele se revelou na doença de Máximo.

17. Dos deuses recebi bons avós, bons pais, uma boa irmã,[35] bons mestres, bons serviçais, parentes, amigos: quase todos aqueles que possuo. E devo aos deuses jamais haver cometido qualquer falta contra qualquer um deles, embora minha disposição fosse tal que, caso se oferecesse oportunidade para isso, é possível que tivesse sido essa a minha conduta; foi, entretanto, a beneficência dos deuses que preveniu o concurso de negócios e oportunidades que talvez me tivesse levado a incorrer nessa culpa. Foi graças a eles que minha criação deixou de ficar a cargo da concubina de meu avô; que pude conservar o viço da juventude; que não aceitei o encargo de ser homem adiantando-me no tempo; que devia

---

31. Pequeno burgo entre Etrúria e Lácio (Itália). Nesse local, Antonino tinha uma casa de campo frequentada por ele regularmente e onde veio a falecer, em 161 d.C.
32. Cidade do Lácio, situada ao sul de Roma (Itália).
33. Cidade do Lácio (Itália).
34. Sócrates (470 a.C.-399 a.C.) foi um filósofo grego, mestre de Platão, condenado à morte pelos atenienses. A respeito desse assunto, pode-se consultar, sobretudo, os textos *Apologia de Sócrates* e *Fédon*, de Platão.
35. Trata-se de Annia Tornifícia.

viver subordinado à autoridade de meu governante e pai, que de mim afastaria toda vaidade, conduzindo-me ao pensamento de que era possível viver na corte dispensando uma tropa de soldados lanceiros para proteção e vigilância de um príncipe, bem como trajes marcantes, archotes, estátuas e outras manifestações semelhantes de pompa; mas que um príncipe deve aproximar-se o máximo possível da condição de um indivíduo que não exerce cargos públicos, sem que com isso, entretanto, se rebaixe ou se torne negligente do interesse público quando a autoridade é necessária. Foi graças aos deuses que aconteceu de eu topar com o irmão[36] que, em razão da sua conduta moral, estimulou-me a cuidar de mim mesmo e, ao mesmo tempo, por conta de sua honra e seu amor trouxe-me o regozijo; também foi graças a eles que não gerei filhos[37] naturalmente inaptos *nem com deformidades no corpo*;[38] a eles igualmente devo não haver avançado muito na retórica, na poética e em outras ocupações, nas quais talvez tivesse me detido se, para isso, dispusesse de um caminho fácil para me destacar. E graças a eles ter ocasionalmente dado preferência às pessoas que me haviam educado, para as dignidades que me pareciam desejar, e não frustrar suas expectativas com adiamentos, por serem ainda jovens. E por ter conhecido Apolônio, Rústico e Máximo. Por ter, frequentemente, uma clara noção com referência à vida de acordo com a natureza e sobre o que é isso, de modo que, no tocante aos deuses e àquilo que é por eles transmitido, seu socorro e inspiração, nenhum impedimento houve para que eu deixasse de viver, desde muito tempo, em conformidade com a natureza, e se me afastei dessa vida, fui eu mesmo a única causa disso, tendo sido graças aos deuses que, lembrando-se deles e de seus ensinamentos e admoestações, meu corpo suportou por tanto tempo essa vida; que jamais me envolvi com Benedicta ou Teodoto,[39] mas que, posteriormente, quando cedi a paixões amorosas, não tardei a ser curado; que, ainda que tenha

---

36. Marco Aurélio não teve nenhum irmão de sangue. Sua alusão parece ser a Lucius Verus, seu irmão adotivo, nem um pouco merecedor dos louvores a ele consignados aqui.
37. Vero, Antonino, Cômodo, Lucila, Fadila, Cornifícia e provavelmente mais sete.
38. No original, "μηδὲ κατὰ τὸ σωμάτιον διάστροφα" (*medè katà tò somátion diástropha*). Seus dois primeiros filhos morreram prematuramente, e Marco Aurélio ainda assistiu à morte de outros filhos. O único que sobreviveu foi Cômodo, decerto um péssimo filho.
39. Ambos desconhecidos para nós.

com frequência me ressentido com Rústico, nada fiz contra ele pelo que tivesse de me arrepender depois; que, embora fosse o destino de minha mãe morrer jovem, tenha ela, entretanto, morado comigo por um tempo considerável antes de seu desenlace; que todas as vezes que quis dar assistência aos pobres ou a outros no momento necessitados nunca tive de ouvir que não havia dinheiro suficiente para isso; e que eu próprio jamais necessitei de semelhante assistência de outrem; que dispusesse de uma esposa[40] tão obediente, afetuosa com os seus e simples; que tenha podido contar com pessoas adequadas e capazes de educar meus filhos; que a mim tenha sido concedida ajuda por meio de sonhos, quando, por exemplo, fui tomado de vertigem e quando cuspi sangue, como necessitei em Cajeta.[41] [Foi graças aos deuses que] quando comecei a me ocupar de filosofia, não topei com algum sofista nem despendi muito tempo lendo tratados, analisando silogismos nem me detendo no estudo dos corpos e fenômenos celestes.[42] Com efeito, tudo isso não poderia ter existido sem o auxílio dos deuses e a contribuição da sorte.

No país dos quados, junto ao Granua.[43]

---

40. Faustina, filha de Antonino Pio.
41. Ou Gaeta, cidade localizada na costa do Lácio (Itália).
42. Ainda que intensamente influenciados pela cultura helênica, incluindo a filosofia, os romanos não cultivaram a metafísica, a lógica e a cosmologia, preferindo, em seu pragmatismo, a ética, a política e a retórica.
43. Os quados eram um povo germânico; Granua era um rio afluente do Danúbio.

LIVRO II

1. Acolhe a alvorada já dizendo, antecipadamente, para ti mesmo: vou topar com o indiscreto, com o ingrato, com o insolente, com o pérfido, com o invejoso, com o insociável. Todas essas qualidades negativas lhes ocorrem por conta de sua ignorância do bem e do mal. Eu, entretanto, que contemplei a natureza do bem, que é nobre, e a do mal, que é vil, e a natureza de quem incorre no erro, a qual me é inata e a mim aparentada, não apenas porque do mesmo sangue ou da mesma semente como também porque participante de idêntica inteligência e parcela da divindade, não me é possível ser prejudicado por nenhum deles; com efeito, ninguém me envolve com o que é vil; não sou capaz de enraivecer contra meu semelhante nem de odiá-lo, pois nascemos para a mútua cooperação e assistência, como os pés, como as mãos, como as pálpebras, como as fileiras de dentes superiores e inferiores, de modo que a oposição a isso contraria a natureza; essa oposição produz animosidade e aversão.

2. *Isto que sou é carne, sopro vital e faculdade condutora.*[1] *Abandona teus livros;*[2] não distrai tua mente; isso não é permitido, mas, como se estivesses desde agora na iminência de morrer, despreza a carne nela pensando minimamente, a qual não passa de sangue e poeira, pequenos ossos, tecidos precários de nervos e entrelaçamento de veias e artérias. Considera o que é teu sopro vital, que não passa de um vento, que nem é constante, mas a todo momento expelido para ser novamente engolido. A terceira é a faculdade que comanda e, assim, deves pensar que és

---

[1]. No original, "'Ὁ τί ποτε τοῦτό εἰμι, σαρκία ἐστὶ καὶ πνευμάτιον, καὶ τὸ ἡγεμονικόν.'" (*Hó tí pote toýtó eimi, sarkía estì kaì pneymátion, kaì tò hegemonikón*). Para o estoico, a faculdade condutora é a parte condutora da alma, identificada com a razão.

[2]. No original, "'Ἄφες τὰ βιβλία·'" (*Áphes tà biblía*). Novamente, aqui se expressa a rejeição ao pensamento especulativo, sobretudo, no estoicismo romano. O espírito prático dos romanos é proverbial e se destaca particular e compreensivelmente em um imperador às voltas com uma profusão de atividades, tarefas e responsabilidades.

velho, que não deves permitir que essa faculdade seja escravizada; não deves permitir que se torne insociável, não partícipe, como se movida por cordões, manipulada como marionetes; não te lamentes com as dificuldades fixadas pelo destino no presente nem temas ou procures fugir do que para ti está reservado no futuro.

3. As obras dos deuses estão repletas de *Providência*.[3] Mesmo os acontecimentos ditados pela sorte ou pelo acaso estão na dependência da *natureza*,[4] a trama e o entrelaçamento deles são administrados pela Providência divina.[5] Todas as coisas fluem daí; seja lá o que aconteça é tanto necessário como útil à *ordem universal*,[6] da qual és uma parte. E aquilo que é passível de ser preservado para a *natureza do universo*[7] será bom e útil igualmente para a natureza de tua parte. A preservação do universo ocorre mediante a mudança dos elementos simples e mediante aquela das coisas compostas. Que isso a ti baste na qualidade de preceitos. *No que toca a tua sede por livros, apressa-te em repudiá-la para que não venhas a morrer em murmúrios e resmungos, mas sim de uma maneira propícia e autêntica e agradecendo de coração aos deuses.*[8]

4. Lembra por quanto tempo adiaste cumprir tuas obrigações e com que frequência te omitiste quanto a tirar proveito das oportunidades concedidas pelos deuses. Tu precisas e já é hora de, porém, perceber de que espécie de *mundo*[9] és uma parte e de que espécie de governante do mundo tu próprio vieste como algo que jorra de tal fonte e também de que há para ti um limite definido de tempo que, se não for usado por ti para tranquilizar e fazer perecer teus desequilíbrios, escoará contigo sem retornar.

---

3. No original, "προνοίας" (*pronoías*).
4. No original, "φύσεως" (*phýseos*).
5. Significa que há um perfeito acordo entre a Providência e a vontade dos deuses e a natureza.
6. No original, "ὅλῳ κόσμῳ" (*hóloi kósmoi*).
7. No original, "ὅλου φύσις" (*hóloy phýsis*).
8. "Τὴν δὲ τῶν βιβλίων δίψαν ῥῖψον, ἵνα μὴ γογγύζων ἀποθάνῃς, ἀλλὰ ἵλεως, ἀληθῶς καὶ ἀπὸ καρδίας εὐχάριστος τοῖς θεοῖς." (*Tèn dè tôn biblíon dípsan rhîpson, hína mè goggýzon apotháneis, allà híleos, alethôs kaì apò kardías eykháristos toîs theoîs*). Mais uma vez, Marco Aurélio repudia enfaticamente os estudos especulativos. Convém lembrar, porém, que ele está, em uma primeira instância, dirigindo-se a si mesmo.
9. No original, "κόσμου" (*kósmoy*).

5. Pensa firmemente a todo instante, *como romano e homem*,[10] em realizar o que tens nas mãos com dignidade – ao mesmo tempo, estrita e sincera –, ternura, liberdade e justiça; ademais, confere a ti mesmo repouso no que se refere a todas as demais ideias. Porém, tu conferirás a ti repouso executando cada ação de tua vida como se fosse a última, afastando toda leviandade e desvio passional daquilo que a razão decide, bem como a hipocrisia, o egoísmo e o descontentamento com o quinhão que coube a ti. Vês quão poucos são os princípios cuja posse capacita alguém a viver uma vida que transcorre de modo favorável e semelhante à dos deuses; com efeito, os deuses nada exigem daqueles que dão atenção a tais princípios.

6. Insulta, insulta a ti mesma, ó alma! O tempo na justa medida de que dispões para honrares a ti mesma escasseia; com efeito, a vida de cada ser humano é curta. E embora a tua esteja quase no fim, não respeitas a ti mesma e fazes tua felicidade depender de outras almas.

7. As ocorrências externas te distraem; proporciona a ti mesmo repouso para aprender algo bom e deixa de ir e vir para cá e para lá. Evita, inclusive, outros tipos de ir e vir, pois há pessoas que, embora se ocupem laboriosamente de ações na vida, carecem de uma meta para a qual nem sequer dirigem uma vez seus desejos e ideias.

8. Dificilmente se vê como algo que resulta em infelicidade não examinar o que se passa na alma alheia; contudo, aquele que não acompanha de perto os movimentos de sua alma é necessariamente infeliz.

9. Tu necessitas sempre ter em mente isto: qual é a natureza do universo, qual é a minha, como é a relação que uma tem com a outra, que parte de qual universo ela é; ademais, que não existe ninguém que te impeça de fazer e dizer sempre aquilo que está em conformidade com a natureza de que constituis uma parte.

10. Teofrasto[11] diz, na qualidade de filósofo, ao comparar os erros, algo que era bastante comum comparar, que aqueles cometidos em razão do desejo são mais graves do que os cometidos em virtude da cólera. De fato, a pessoa impulsionada pela cólera parece ser desviada da razão e ex-

---

10. No original, "ὡς Ῥωμαῖος καὶ ἄρρην" (*hos Rhomaîos kaì árrhen*).
11. Um dos principais discípulos de Aristóteles no Liceu de Atenas; também foi seu monitor e sucessor, no século IV a.C.

perimentar certa dor e uma contração; aquela, porém, que comete o erro por desejo parece, de algum modo, mais desregrada e *mais feminina*[12] nos erros, uma vez que subjugada pelo prazer. Foi, portanto, com justiça e de maneira digna da filosofia que ele disse que é mais censurável a pessoa que erra por força do prazer que aquela que erra com a dor; a segunda parece, em uma palavra, ter sido antecipadamente ferida e, por meio da dor, forçada à cólera, enquanto a primeira foi impulsionada a cometer a injustiça conduzida espontaneamente a essa ação por conta do desejo.

11. Considerando que é possível tu deixares esta vida a qualquer momento, administra cada ato, palavra e pensamento em consonância com isso. Deixar os seres humanos, porém, se existirem deuses, não é de se temer, pois estes não te envolverão no mal; na hipótese, decerto, de não existirem ou não se preocuparem com as coisas humanas, qual o sentido de eu viver em um mundo destituído de deuses ou de Providência? Contudo, eles existem e, positivamente, se preocupam com as coisas humanas; e colocaram tudo ao alcance do ser humano para que este não caia em poder de males reais; se restasse efetivamente qualquer mal além desses males, haveriam de exercer providência em relação a isso também para que se possa evitá-lo. Como conceber que aquilo que não torna pior uma pessoa pode tornar pior a vida de uma pessoa? Tampouco é de se pensar que a natureza do universo omitiu-se com referência a essas coisas por ignorância ou, tendo conhecimento, que foi incapaz de tomar precauções; nem que ela, poderosa como é, por incapacidade ou inépcia, tenha cometido essa falta, levando a ocorrer indistinta e confusamente bens e males a pessoas boas e más. Mas a morte e a vida, *a boa e a má reputação*,[13] o sofrimento e o prazer, a riqueza e a pobreza, tudo isso atinge igualmente pessoas boas e más, sendo coisas que não nos transmitem nobreza nem vileza. Não são, portanto, nem boas nem más.

12. Como tudo desaparece rapidamente: no mundo, os próprios corpos; no tempo, as lembranças deles; tais são todas as coisas sensíveis e, sobretudo, as que seduzem mediante o prazer, amedrontam mediante o

---

12. No original, "θηλύτερος" (*thelýteros*). A expressão também pode ser traduzida como "*mais efeminada*". Aqui, o feminino surge como qualificação de inferioridade; trata-se de um traço comum da cultura grega, que exerceu grande ascendência sobre a romana.
13. No original, "δόξα καὶ ἀδοξία" (*dóxa kaì adoxía*).

sofrimento ou têm forte repercussão mediante a fama que se esfumaça; como são vulgares, desprezíveis, triviais, corruptíveis e mortas diante da razão capaz de examiná-las. Ademais, o que são aqueles cujos pensamentos e vozes transmitem boa reputação ou fama...; e o que é o morrer? Se alguém olha a morte isoladamente, em si mesma, decompondo mediante a inteligência todas as partes que nela se mostram como fantasmas, vai concebê-la como sendo tão somente uma ação da natureza, uma ação da natureza que é pueril temer; e certamente ela não é apenas uma ação da natureza, mas ainda algo que promove o que é do interesse dela. Considera como e com que parte de si o ser humano toca a divindade e quando e como, sobretudo, essa parte do ser humano está disposta no divino.

13. Nada há de mais deplorável do que a pessoa que tudo percorre em círculo e sonda *o que está debaixo da terra* (diz ele),[14] e investiga em caráter conjectural o conteúdo das almas dos vizinhos e *o que está debaixo da terra* sem perceber que basta dar atenção à divindade que existe dentro de si mesmo e cultuá-la com sinceridade. Esse culto a ela deve conservar-se livre de paixão, de irreflexão e de descontentamento com referência ao que se origina dos deuses e dos seres humanos. Com efeito, aquilo que provém dos deuses é venerável em razão de sua excelência, enquanto o que provém dos seres humanos nos é caro porque provém de nossa mesma espécie; e mesmo quando, de algum modo, nos conduz à compaixão por causa da ignorância dos bens e dos males, falha que não é menor que aquela que subtrai nossa capacidade de distinguir as coisas brancas das pretas.

14. Mesmo que vivesses 3 mil anos e tantas vezes quanto 10 mil anos, lembra, todavia, que ninguém perde uma vida distinta da vida presente, tampouco vive uma vida diferente desta que presentemente perde. Assim, a vida mais longa e a mais curta se tornam algo idêntico. Com efeito, o presente é igual para todos e, portanto, o que se perde também é igual; e aquilo que se perde, consequentemente, revela-se como sendo de curtíssima duração, como se fosse instantâneo. De fato, não se perde o que passou nem o futuro, pois como tirar de uma pessoa aquilo que ela não

---

14. No original, "φησὶν" (*phesìn*). Trata-se de Píndaro de Tebas (518 a.C.-438 a.C.), poeta lírico grego.

possui? Necessitas lembrar, portanto, estas duas coisas: uma é que tudo o que é egresso da eternidade é de espécie idêntica e tem caráter cíclico, não fazendo diferença nem importando, assim, se alguém permanece em contemplação das coisas apenas por um século ou dois ou por um tempo infinito; a outra coisa é que, quando morrem, a perda é igual para pessoas que viveram o máximo de tempo e para aquelas que viveram o mínimo. Com efeito, o presente é tudo de que se pode ser privado: afinal, tudo o que se tem é o presente, e a perda daquilo que não se possui não é possível.

15. Tudo não passa de opinião. Com efeito, óbvias foram as palavras ditas a Mônimo, o filósofo cínico; é igualmente óbvio o emprego a ser feito dessas palavras, a se admitir, no limite do que é verdadeiro, o que encerram de útil.

16. A alma humana é violenta consigo mesma, sobretudo quando se torna, na medida do que dela depende, um abscesso, como se fosse um tumor no mundo. De fato, incomodar-se ou descontentar-se com quaisquer acontecimentos constitui um distanciamento da natureza, em que cada uma das naturezas restantes está contida como parte. Em seguida, quando manifesta aversão por qualquer ser humano ou a ele se opõe, prejudica-o: estas são as almas coléricas ou vingativas. Em terceiro lugar, ela comete violência contra si mesma, quando assaltada por prazer ou dor. Em quarto, quando dissimula e age ou fala de modo fingido e falso. Em quinto lugar, quando não dirige as próprias ações e os impulsos a nenhum objetivo determinado, mas atua de maneira arriscada e inconsequente, quando até as coisas mais ínfimas devem ser empreendidas em relação a um fim; e o fim dos seres vivos racionais consiste em obedecer a razão e lei estabelecida pelo *Estado*[15] e pela forma de governo mais respeitáveis.

17. *O tempo é um ponto no que diz respeito à vida humana, ao passo que a substância flui, a percepção sensorial é imprecisa, a composição do corpo inteiro facilmente putrescível, a alma é um pião que rodopia, o destino difícil de ser previsto e o prestígio carente de discernimento. Em síntese, tudo aquilo que diz respeito ao corpo é um rio, enquanto o*

---

15. No original, "πόλεως" (*póleos*). Roma, como sede do Império Romano, apresenta as características de cidade-Estado, como Atenas, Esparta etc.

que diz respeito à mente ou à alma é um sonho e uma fumaça; quanto à vida, é uma guerra e uma estada em país estrangeiro, a fama dada na posteridade um esquecimento. O que, então, é capaz de nos oferecer uma orientação? Somente a filosofia.[16] Esta requer vigiar para que *a divindade interior*[17] se mantenha não violenta e incólume, acima de prazeres e sofrimentos, sem agir de maneira aventureira, destituída de meta, nem mentirosa e hipócrita, dispensando absolutamente a ação ou inação alheias; ademais, aceitar todo tipo de acontecimento e o lote que nos cabe, seja qual for, como provenientes daquele lugar, seja onde for, de onde nós mesmos provimos; e principalmente aguardar a morte em uma disposição favorável e tranquila, porquanto ela nada é senão a dissolução dos elementos a partir dos quais cada ser vivo é composto. Se, assim, para os próprios elementos nada há de se temer no fato de cada um se transformar continuamente no outro, por que temer e preocupar-te com tua transformação e dissolução no conjunto? Isso é conforme a natureza, e nada que é conforme a natureza constitui mal.

Escrito enquanto em Carnuntum.[18]

---

16. Misto de ceticismo e resignação, este trecho, cujo original reproduzimos a seguir, resume bem a doutrina estoica romana, que reduz a filosofia, de certa maneira, a uma ética e a um franco pragmatismo: "Τοῦ ἀνθρωπίνου βίου ὁ μὲν χρόνος, στιγμή· ἡ δὲ οὐσία, ῥέουσα· ἡ δὲ αἴσθησις, ἀμυδρά· ἡ δὲ ὅλου τοῦ σώματος σύγκρισις, εὔσηπτος· ἡ δὲ ψυχή, ῥόμβος· ἡ δὲ τύχη, δυστέκμαρτον, ἡ δὲ φήμη, ἄκριτον· Συνελόντι δὲ εἰπεῖν, πάντα, τὰ μὲν τοῦ σώματος, ποταμός, τὰ δὲ τῆς ψυχῆς, ὄνειρος καὶ τῦφος· ὁ δὲ βίος πόλεμος καὶ ξένου ἐπιδημία· ἡ ὑστεροφημία δὲ, λήθη. Τί οὖν τὸ παραπέμψαι δυνάμενον· ἓν καὶ μόνον φιλοσοφία." (*Toŷ anthropínoy bíoy ho mèn khrónos, stigmé· he dè oysía, rhéoysa· he dè aísthesis, amydrá· he dè hóloy toŷ sómatos sýgkrisis, eýseptos· he dè psykhé, rhómbos· he dè týkhe, dystékmarton, he dè phéme, ákriton· Synelónti dè eipeîn, pánta, tà mèn toŷ sómatos, potamós, tà dè tês psykhês, óneiros kaì tŷphos· ho dè bíos, pólemos kaì xénoy epidemía· he hysterophemía dè, léthe. Tí oŷn tò parapémpsai dynámenon· hén kaì mónon philosophía.*).
17. No original, "τὸν ἔνδον δαίμονα" (*tòn éndon daímona*).
18. Cidade às margens do rio Danúbio, na Panônia (região que hoje engloba partes da Hungria, Áustria, Croácia, Sérvia, Eslovênia, Eslováquia e Bósnia e Herzegovina).

LIVRO III

1. Não se deve apenas concluir racionalmente que, a cada dia, a vida vai se consumindo e deixando atrás de si uma menor porção para ser vivida, tampouco que, se alguém vive mais, é incerto se seu intelecto vai se conservar o mesmo no transcorrer dos anos, concedendo-lhe entendimento para os negócios e conhecimento conquistado na experiência para perscrutar as coisas divinas e humanas. Com efeito, se a pessoa volta à infância com a senilidade, passando a falar coisas sem sentido, ainda assim seu sistema respiratório, seu sistema de nutrição, sua imaginação, seus impulsos e outras faculdades podem não lhe faltar; mas como fazer o uso apropriado de si mesmo, como dar conta das obrigações com precisão, como distinguir nitidamente as coisas que se mostram e saber se, no que toca a si mesma, já é hora de sair de si, visto que para essas coisas que certamente necessitam de raciocínio a pessoa já está morta. Convém, portanto, que te apresses, não só porque estás cada vez mais próximo da morte como também porque teu intelecto que te capacita a acompanhar um raciocínio com relação às coisas já está antecipadamente condenado ao aniquilamento.

2. É preciso também observar que os próprios acontecimentos que se somam às operações naturais contêm algo de agradável e sedutor. Por exemplo, quando um pão é assado, algumas de suas partes podem ficar quebradiças e se fragmentar, deixando a crosta irregular, mas embora de certa maneira isso contrarie a arte do padeiro e sua intenção, esse pão possui algo em particular que estimula o apetite. Os figos, por sua vez, são agradáveis quando, maximamente maduros, começam se contrair e murchar. E as azeitonas demasiado maduras se impõem como frutos particularmente belos, quando na iminência de entrar em putrefação. Ademais, as espigas que se inclinam, a pele da frente de um leão, a espuma escorrendo da boca de um javali e muitas outras coisas semelhantes, embora isoladamente não apresentem de modo algum um belo

aspecto, por serem fatos da natureza, concorrem para sua ornamentação e adquirem um aspecto atraente, de sorte que se alguém, com sentimento e ponderação, sondar mais profundamente o que acontece no universo, mesmo entre as coisas que não passam de consequências, de certo modo não vai encontrar quase nada que não exiba certo encanto. Contemplará igualmente com prazer as reais mandíbulas ou goelas escancaradas dos animais selvagens e as imitações retratadas por pintores e *estatuários*;[1] e assim perceberá encanto em toda faixa etária, mesmo na velhice da mulher ou na do homem, como no viço da infância e da mocidade, não demorando a capacitar-se a ver com olhos sadios e sóbrios; e muitas outras coisas desse tipo serão descortinadas por ele, sem a todos convencer, mas apenas àqueles que estão realmente familiarizados com a natureza e suas obras.

3. Depois de curar muitas doenças, Hipócrates,[2] ele próprio, contraiu doença e morreu. Os caldeus anteciparam a morte de muitas pessoas para, em seguida, serem eles também colhidos pelo destino. Alexandre, Pompeu e Caio César,[3] após tantas vezes destruírem por completo cidades inteiras e retalharem, em campo de batalha, muitos milhares de soldados de cavalaria e infantaria, também um dia partiram da vida. Heráclito,[4] que tanto investigou e se pronunciou acerca da natureza, em torno da destruição do mundo pelo fogo, acabou morrendo com o corpo internamente repleto de água e deitado no estrume. Demócrito[5] foi morto por piolhos ou vermes. Sócrates foi morto por outra espécie de verme.[6] Qual o sentido disso? Embarcaste, realizaste a viagem e alcan-

---

1. No original, "πλάσται" (*plástai*). São artesãos que, em geral, modelavam em argila ou cera.
2. Hipócrates de Cós (460 a.C.-?377 a.C.), médico grego considerado o pai da medicina ocidental.
3. Alexandre, o Grande (356 a.C.-323 a.C.), rei da Macedônia, que teve Aristóteles como preceptor; expandiu em larga escala o Império macedônico e foi importante agente do movimento helenístico na Antiguidade. Pompeu (106 a.C.-48 a.C.) foi um general e estadista romano; em 60 a.C., compôs com César e Crasso o primeiro triunvirato; foi assassinado no Egito. Caio Júlio César (100 a.C.-44 a.C.) foi general e ditador em Roma no período de transição entre a República e o Império Romano; foi assassinado durante uma sessão do senado em 15 de março de 44 a.C.
4. Heráclito de Éfeso (*circa* 500 a.C.), filósofo da natureza grego.
5. Demócrito de Abdera (?460-?362 a.C.), filósofo da natureza grego.
6. Evidentemente, a referência não é a cicuta, mas sim aos acusadores de Sócrates: Meleto, Anito e Lícon.

çaste a costa. Ora, desembarca. Se, para outra vida, tampouco aí faltarão deuses. Se, contudo, desembarcares na insensibilidade, cessará para ti sofrimentos e prazeres e deixarás de ser servidor de um vaso [de carne], que é tão inferior quanto aquele que serve é superior, pois este é inteligência e divindade, enquanto aquele é terra e sangue mesclados ao pó.

4. Não gastes o resto de tua vida com ideias que dizem respeito aos outros a não ser que tenham relação com o interesse comum, pois, com isso, certamente te privas de alguma outra ocupação que por ti é negligenciada ao te entreteres com ideias e ações alheias, com metas visadas pelos outros, com o que dizem ou pensam, com o que tramam e outras coisas semelhantes: isso leva uma pessoa a fugir da observação e da atenção que deve dedicar à sua faculdade condutora. Observa, portanto, no encadeamento de tuas ideias, o cuidado no sentido de evitar aquilo que é arriscado e vão, principalmente o que é supérfluo e pernicioso; habitua-te a pensar somente naquilo que, se alguém te perguntar de repente o que estás pensando, possas responder com total franqueza e de imediato; de modo que, se assim te abres, será possível perceber de maneira rápida e evidente que és sincero e benevolente em relação a tudo e que és dotado de espírito de comunidade, isso sem ceder em absoluto aos prazeres e às fantasias voluptuosas, livre do gosto pelas disputas, pela inveja e pela suspeita, ou por quaisquer outras coisas cuja revelação te faria enrubescer. Um homem com esse perfil, que a partir de então não poupa nenhum esforço para se colocar entre os melhores, é um sacerdote e servidor dos deuses, igualmente devotado ao serviço daquele que edificou nele sua morada; graças a esse culto, essa pessoa se mantém não contaminada pelos prazeres, invulnerável a todo sofrimento, livre de todo excesso, indiferente a toda maldade; um atleta da mais nobre das lutas, capaz de não se deixar vencer por quaisquer paixões, profundamente mergulhado na justiça; alguém que aceita com toda sua alma tudo o que acontece e o lote que lhe cabe; é alguém que raramente se põe a imaginar o que os outros dizem, ou fazem, ou pensam, a não ser por força da necessidade e quando se trata de grande interesse da comunidade. Realmente, apenas se atém às suas funções e ao que lhe diz respeito, e seu pensamento está ininterruptamente ligado ao lote do universo que lhe cabe dentro da trama tecida pelo destino; cumpre suas funções honrosamente e está persuadido de que as coisas ditadas pelo destino são boas. Com efeito, a

sorte atribuída a cada um está contida na ordem universal e também a implica. Lembra, ademais, que tudo aquilo que participa do racional está aparentado a ele; e que a solicitude por todos os seres humanos está em conformidade com a natureza do ser humano; que a boa reputação, porém, não deve ser concedida a todos, mas só àqueles que vivem em conformidade com a natureza. Quanto às pessoas que não vivem assim, lembra incessantemente que tipo são em suas casas ou fora delas, dia e noite, quais são suas companhias, como passam suas vidas em um estado de confusão: isso ele sabe e tem em mente, de modo a não aceitar em sua razão esse louvor que tais pessoas lhe concedem, que nem mesmo são capazes de satisfazer a si mesmas.

5. Não ajas contra tua vontade nem contra a comunidade, sem prévio exame nem relutantemente; não exprimas teu pensamento de maneira engenhosa ou com floreios; não sejas loquaz nem demasiado ativo a ponto de seres indiscreto. Além disso, permite que o *deus*[7] que existe em ti te comande e encontre em ti um *homem*,[8] um velho, um cidadão, um romano, um comandante que a si mesmo atribui seu posto, uma pessoa que se constituiu como alguém a esperar tão só, por assim dizer, o toque de retirada para partir prontamente desta vida, e que para isso não precisa de um juramento nem de algum ser humano que dê um testemunho. Mantém a alegria e a autossuficiência, dispensando os serviços externos bem como aquela tranquilidade dos outros. É necessário, portanto, ser correto, não ser corrigido.

6. Se na vida humana descobrires algo superior a justiça, verdade, moderação, coragem e, para resumir, um pensamento que encontra satisfação em si próprio ao te permitir agir em conformidade com a reta razão e diante de condições que não escolheste; se, eu digo, contemplaste algo que supera isso em qualidade, com toda tua alma volta-te para tal coisa e goza o que descobriste ser o mais excelente. Se, entretanto, nada parecer melhor que *a divindade [instalada] em ti*,[9] a qual fez de si mesma a base de teus impulsos pessoais, submeteu as ideias ao controle e, como

---

7. No original, "θεὸς" (*theós*).
8. No original, "ζῷον ἄρρενος" (*zóioy árrhenos*). Literalmente um animal macho, um ser vivo macho.
9. No original, "ἐν σοὶ δαίμονος" (*en soì daímonos*). É a divindade tutelar, o gênio protetor de cada indivíduo.

disse Sócrates, livrou-se dos estímulos da percepção sensorial e sujeitou-se aos deuses, zelando pelos seres humanos; se descobrires que tudo o mais, comparado a isso, é inferior e menos valioso, não dá espaço a outra coisa, pois se tu realmente uma vez te desviaste e pendeste para isso, não vais conseguir mais, incansavelmente, deixar de dar preferência a esse bem que te é particular. Pois não é lícito que qualquer coisa de outra espécie, por exemplo, o louvor da multidão, ou o poder, ou a riqueza, ou o gozo de prazeres, oponha-se àquilo que é racional e socialmente bom. Todas aquelas coisas, embora por algum tempo pareçam ajustar-se a nossa natureza, repentinamente se tornam dominantes e se instalam na inteligência, produzindo um desvio em nossa natureza. Escolhe, – eu digo – de maneira simples e livre o que é o melhor e prende-te a isso. O melhor, porém, é o útil. Se a referência for ao útil envolvendo a ti como um ser racional, preserva-o; se, contudo, envolve a ti como animal, rejeita-o e conserva sem orgulho teu julgamento; apenas executa com firmeza teu exame.

7. Jamais estima algo como vantajoso a ti, se vier a te obrigar algum dia a violar tua fé, a abrir mão do respeito que tens por ti, a odiar alguém, levantar suspeita, lançar maldições, ser hipócrita, desejar algo que exige paredes e tapeçarias. Com efeito, aquele que preferiu a sua própria inteligência, a sua divindade tutelar e o culto religioso em razão desta dignidade, não atuará em nenhuma tragédia, não se porá a lamentar e dispensará o isolamento e a presença maciça de pessoas; e, sobretudo, não viverá nem se apegando à vida, nem fugindo dela. Não o preocupa que sua alma permaneça por um intervalo maior ou menor de tempo tendo um corpo por invólucro; se, com efeito, for necessário desde já que ele o abandone, estará pronto para isso e partirá sem qualquer embaraço, como o faria em relação a outras atividades que pudesse executar reservada e decentemente. Por toda a vida, seu único cuidado é manter seu pensamento ocupado com o que é próprio a um ser vivo racional e social.

8. No pensamento daquele que foi contido pela moderação e purificado, não podes descobrir nada de purulento, imundo nem que prossegue supurando internamente. Nem o destino o pega com sua vida incompleta, como se diz de um ator trágico que se afasta antes de encerrar a peça e completar seu papel. Ademais, nele não verás servilismo,

nem afetação, nem demasiado apego, nem demasiado desapego, nem sujeição a um ajuste de contas nem dissimulação.

9. Honra a faculdade de pensar e conceber opinião. Tudo se encontra nela, pois não há na tua faculdade condutora um pensamento que não esteja de acordo com a natureza e a constituição de um animal racional. Ela nos prescreve a não precipitação, a boa administração das relações com os seres humanos e a obediência aos deuses.

10. Então, descartando tudo o mais, retém apenas esses poucos princípios, lembrando, ao mesmo tempo, que cada um se limita a viver o presente, que tem duração muito curta; quanto ao restante, é incerto ou impenetrável. Efêmera, portanto, é a vida de cada um e pequeno é o cantinho em que vive; efêmero, inclusive, é o mais duradouro dos renomes oferecidos pela posteridade, e até isso segundo uma sucessão de pessoas medíocres que não tardarão a morrer, que nem sequer conhecem a si mesmas, muito menos aquelas que morreram há muito tempo.

11. Adicionalmente aos conselhos já mencionados, produz para ti a definição ou a descrição daquilo cuja ideia se apresenta a ti com o objetivo de distinguir o que é do prisma de sua substância, em sua nudez, em sua plena inteireza: diz a ti o nome que lhe é próprio, bem como os nomes dos elementos de que aquilo que se apresentou a ti foi composto e nos quais será decomposto. Com efeito, nada produz tanta elevação de sentimentos da alma quanto ser capaz de distinguir com método e verdade cada objeto que se mostra na vida, e sempre contemplar esse objeto que se nos apresenta com o propósito simultâneo de ver qual a função dele e para qual universo, e qual valor tem no que diz respeito ao conjunto e no que diz respeito ao ser humano, o qual é cidadão da mais elevada das cidades-estados, da qual as demais são como casas; é igualmente indispensável investigar o que é esse objeto, do que é composto, quanto tempo durará naturalmente, ele que produz agora em mim essa ideia; ademais, qual a virtude de que necessito do ponto de vista dele, por exemplo: brandura, coragem, franqueza, fé, simplicidade, autossuficiência, e assim por diante. Eis a razão de ser preciso dizer em toda ocasião: isso provém do deus; isso se deve ao encontro ditado pela sorte, ao encontro determinado pela trama dos acontecimentos, ao encontro produzido pelo resultado destes e, inclusive, ao acaso; provém do membro da mesma raça, do membro da mesma família e do partícipe

na mesma comunidade, ainda que, entretanto, em sua ignorância de que é de acordo com a natureza. Eu, porém, não o ignoro, sendo essa a razão de me comportar em relação a ele conforme a lei natural da comunidade, de modo benevolente e justo. Todavia, viso ao mesmo tempo, no que diz respeito às coisas em relação às quais me mantenho neutro e que me são indiferentes, aquele valor que lhes cabe.

12. Caso ajas conforme a reta razão com referência ao que se coloca diante de ti, com seriedade, firmeza, benevolência, não admitindo que nada secundário te desvie de tua ação, mas conservando pura a divindade que existe em ti, como se devesses restituí-la de imediato; caso te vincules a isso, sem nada esperar nem fugir de nada, contente com tua atividade presente conforme a natureza, a dizer e murmurar em todo som emitido de tua boca uma verdade heroica, então viverás feliz. E não existe ninguém com o poder de impedi-lo.

13. Como os médicos têm sempre à mão instrumentos variados e bisturis para as situações súbitas de emergência que exigem seus cuidados, tens de contar com *os princípios*[10] à tua disposição para o conhecimento das coisas divinas e humanas e para realizar até aquilo que é o mais ínfimo, lembrando-te do laço que une ambas essas coisas mutuamente. Com efeito, nada de humano realizarás bem sem que, simultaneamente, se relacione com o divino, tampouco o oposto.

14. Não te distancies do caminho reto se deixando enganar, pois não estás na situação de reler tuas memórias,[11] nem o relato dos feitos antigos dos romanos e gregos, nem extratos de tratados reservados para tua própria velhice; apressa-te, portanto, na direção de uma meta, abandonando vãs esperanças, e auxilia a ti mesmo, se é que te encontras ainda em condição de cuidares de ti mesmo.

15. Não se sabe quantos significados existem para roubar, semear, comprar, estar tranquilo, ver o que deve ser feito, não estando isso na esfera dos olhos, mas naquela de alguma outra visão.

16. *Corpo, alma, inteligência*;[12] no corpo as sensações, na alma os impulsos, na inteligência os princípios. Ser impressionado pela imagem

---

10. No original, "τὰ δόγματα" (*tà dógmata*).
11. Obra perdida de Marco Aurélio.
12. No original, "Σῶμα, ψυχή, νοῦς" (*Sôma, psykhé, noŷs*).

de um objeto diz respeito a animais que pastam; ser impulsionado por cordões como marionetes diz respeito a animais ferozes, a homens e mulheres debochados, a Falaris e a Nero;[13] contudo, ter inteligência de forma a se conduzir para o que parece constituir nossas obrigações diz respeito, inclusive, àqueles que não reconhecem os deuses, àqueles que abandonam a pátria e agem quando fecharem as portas. Se, portanto, as coisas restantes são comuns àqueles que foram mencionados, o que resta particularmente à pessoa de bem é amar e acolher zelosamente os acontecimentos, quer aqueles imprevistos, quer aqueles ditados pelo destino; não confundir nem perturbar com uma multidão de imagens a divindade interior sentada no templo do próprio peito, mas mantê-la favorável e regularmente submetida ao deus, não murmurar palavras contra a verdade nem agir contra as coisas justas. E até mesmo se todos os seres humanos não acreditarem que a vida dessa pessoa é pautada por simplicidade, reserva e bondade, não se mostra rude nem hostil com ninguém, tampouco se desvia do caminho que conduz ao fim de sua vida, ao qual se deve chegar puro, tranquilo, solto, harmonizando-se plenamente e de maneira espontânea a sua sorte.

---

13. Falaris (*c.* 570 a.C.), tirano que governou a cidade de Agrigento, na Sicília (Itália); Nero (37 d.C.-68 d.C.), imperador romano de 57 a 68.

LIVRO IV

1. O que é interiormente soberano, quando em conformidade com a natureza, é atingido de tal forma pelos acontecimentos que lhe é sempre fácil ajustar-se, na medida do possível, aos acontecimentos que são oferecidos. Com efeito, não dá preferência a nenhuma matéria exclusiva, mas se impulsiona na direção de sua meta, ainda que sob certas condições excepcionais; produz sua matéria com base naquilo que lhe faz oposição, assim como o fogo quando se apodera do que nele é lançado, sem o que uma pequena candeia seria apagada; quando, porém, o fogo é forte, depressa incorpora a si mesmo o que é sobre ele depositado, o que o consome e se eleva a partir disso.

2. Não faças nada ao acaso nem de outra maneira, exceto segundo os preceitos da perfeita execução da arte.

3. As pessoas buscam para si refúgios, casas de campo, praias e montanhas; e tu também desejas isso intensamente. Mas isso toca inteiramente as mais vulgares entre as pessoas, pois depende de tua vontade, a qualquer momento, fazeres o retiro para dentro de ti mesmo. Com efeito, em lugar algum, seja em busca de mais tranquilidade, seja visando distanciar-se de negócios e atividades, consegue uma pessoa mais refúgio que dentro de sua alma, isso, sobretudo, quando abriga dentro de si pensamentos cuja contemplação lhe transmite imediatamente completo conforto; digo, a propósito, que conforto ou tranquilidade não é outra coisa senão uma boa ordem [da alma]. Portanto, proporciona a ti continuamente esse refúgio e renova a ti mesmo; e que teus princípios sejam concisos e possuam caráter elementar, para que, tão logo recorras a eles, bastem para repelir por completo a aflição [da alma] e te enviar de volta sem descontentamento às coisas às quais retornas. E, afinal, com o que experimentas descontentamento? Com a maldade dos seres humanos? Raciocina com base no juízo de que os animais racionais são gerados em função da relação de reciprocidade, que suportar é parcialmente

justiça, que erros são involuntários e que aqueles que até agora foram abertamente inimigos, trocaram suspeitas, ódio, trespassaram-se com golpes de lança já estão estendidos e seus corpos incinerados. Enfim, acalma-te. Será o caso de experimentares descontentamento com o lote que o universo atribuiu a ti? Recorda-te da alternativa: ou a Providência ou os átomos, e a partir de quais argumentos chegou-se a provar que o mundo é como se fosse uma cidade. Será o caso de as coisas do corpo terem se apoderado de ti? Pondera que o pensamento não se mistura aos movimentos do sopro vital, mesmo que ocorram suave ou bruscamente, depois que o pensamento protegeu a si mesmo e reconheceu o poder que lhe é característico; e, de resto, do que, no que toca a dor e prazer, ouviste e admitiste. Será o caso daquela pequena glória que te distrai? Se olhares, verás quão rápido todas as coisas são condenadas ao esquecimento e ao abismo de eternidade que de cada lado se franqueia ao infinito, ao vazio do eco, à inconstância e à irreflexão daqueles que simulam palavras de benevolência e à estreiteza do lugar que delimita o espaço da glória. Afinal, toda a Terra não passa de um ponto, e quão minúsculos são os cantos dela que servem de moradia! E neles, quantas pessoas e que espécie de pessoas existem que se prestarão a louvar-te? Tudo o que resta, portanto, é lembrar-te do retiro que podes realizar no pequeno campo no interior de ti mesmo; e, acima de tudo, não te apresses na ansiedade nem sejas inflexível, mas livre, *e vê as coisas como homem, como ser humano, como cidadão, como animal mortal*.[1] Entre os princípios mais a tua disposição com os quais topares, que estejam estes dois: o primeiro é que as coisas não alcançam a alma, mas permanecem externas, imobilizadas; que os embaraços e as turbulências se originam unicamente da opinião produzida no interior dela. O outro é que todas essas coisas que contemplas serão, embora não tenham sido ainda, transformadas e não existirão mais; e já observaste tantas transformações que deves pensar ininterruptamente: *o mundo é alteração, a vida é sucessão*.[2]

4. Se a inteligência nos é comum, a razão que nos estabelece na qualidade de racionais é comum; se é assim, também a razão que determina

---

1. No original, "καὶ ὅρα τὰ πράγματα, ὡς ἀνήρ, ὡς ἄνθρωπος, ὡς πολίτης, ὡς θνητὸν ζῷον." (*kai hóra tà prágmata, hos anèr, hos ánthropos, hos polítes, hos thnetòn zôion*).
2. A passagem é de Demócrito, fragmento 115, Diels.

o que deve ser feito ou o que não deve ser feito é comum; se é assim, também a lei é comum; se é assim, somos concidadãos; se é assim, participamos de alguma administração dos negócios que são comuns; se é assim, o mundo é de algum modo como uma cidade-Estado. Afinal, de qual outra administração comum estaríamos facultados a dizer que a totalidade do gênero humano participa? É em decorrência dela, dessa cidade-estado comum, que nos chegam a própria inteligência, o racional e o legal. Ou de onde chegariam? Com efeito, como o telúrico em mim foi separado e extraído de certa terra, o úmido de um elemento distinto, o aéreo de alguma outra fonte e o quente de alguma fonte particular ígnea (pois nada há que provenha do nada, como nada há que retorne ao nada), do mesmo modo a inteligência possui um ponto de origem.

5. *A morte, como o nascimento, é um mistério da natureza.*[3] [O nascimento] é uma combinação de elementos, enquanto [a morte] é uma dissolução nos mesmos elementos: nada em absoluto que seja desonroso, uma vez que não se opõe ao que se coaduna com um animal racional nem à razão de nossa disposição natural.

6. Tais coisas, por conta de tais fatores, devem assim se produzir naturalmente, sob o império da necessidade; não querer que assim seja é querer que a figueira não tenha suco. Em uma palavra, lembra-te que não transcorrerá muito tempo para que tu e ela estejam mortos; logo depois, nada deixareis atrás de vós, nem sequer vosso nome.

7. Aniquilando a suposição aniquilarás o "fui injustiçado". Aniquilando o "fui injustiçado" aniquilarás a injustiça.

8. Aquilo que não torna pior a própria pessoa também não torna pior sua vida, tampouco a prejudica, quer em suas relações externas, quer internamente.

9. A natureza daquilo que é útil consiste em fazer-se forçosamente útil.

10. Tudo o que acontece justamente acontece; é algo que descobrirás se observares com precisão; não me limito a dizer que é segundo a consequência, mas que é segundo a justiça, e como aquilo que é atribuído a cada um conforme seu merecimento. Assim, prossegue observando, como fizeste no princípio; ademais, em tuas ações, faz como sendo uma

---

3. No original, "Ὁ θάνατος τοιοῦτος, οἷον γένεσις, φύσεως μυστήριον." (*Ho thánatos toioŷtos, hoîon génesis, phýseos mystérion.*).

pessoa de bem, em consonância com aquilo que é característico da pessoa de bem. No que toca a todas as tuas atividades, conserva essa regra.

11. Não concebas as coisas segundo o critério daquele que se comporta com insolência contigo ou da maneira que deseja que tu as julgues; pelo contrário, considera-as como são na realidade.

12. É preciso que duas regras estejam sempre à tua disposição: a primeira é realizar somente o que é sugerido, no interesse humano, pela razão régia e legislativa; a segunda é mudares tua forma de pensar se contares com a presença de alguém capaz de corrigi-la, inclusive adotando a conduta dessa pessoa. Entretanto, impõe-se que essa mudança tenha sempre como nascedouro algo convincente e sustentável, como a justiça ou o interesse comum, sendo necessário ser unicamente algo que se avizinha desses motivos e não algo que se revela prazeroso ou glorioso.

13. Possuis a razão? "Possuo." Então por que não a utilizas? Afinal, se ela cumpre sua função, o que mais queres?

14. Tens sido substrato na qualidade de uma parte. Desaparecerás naquilo que te gerou, ou melhor, no seio da razão criadora, mediante transformação, tu serás restaurado.

15. Muitos torrões de incenso são colocados sobre o mesmo altar; um antes, outro depois, o que não faz diferença.

16. Para as pessoas que te consideram agora um animal feroz ou um macaco, dentro de dez dias, passarão a considerar-te um deus desde que retornes aos princípios e à veneração da razão.

17. Não te conduzas como se estivesses destinado a viver 10 mil anos. A fatalidade está no teu encalço. Enquanto ainda vives, enquanto há possibilidade, sê da estirpe das pessoas boas.

18. Quanto ganha em lazer aquele que não dá atenção ao que diz o vizinho, ou ao que ele faz ou pensa, mas se limita a suas próprias ações para que sejam justas, impregnadas de devoção religiosa e próprias do homem bom! Não olhes a tua volta, impressionado, para as maneiras de ser negativas e funestas, mas, em lugar disso, caminha rapidamente e com retidão pela linha rumo à meta, sem se dispersar.

19. Todo aquele que busca a fama póstuma não imagina que cada um daqueles que dele se recorda não tardará a morrer, e que seus sucessores, por sua vez, também acabarão mortos, até finalmente a inteira recordação extinguir-se. Podes, inclusive, até supor que aqueles que se

recordarão de ti e essa memória são imortais. Mas o que representa isso para ti? E não digo apenas que nada representa para o morto, mas de que serve o louvor mesmo para os vivos? A não ser que se leve em conta alguma eventual vantagem doméstica. Com efeito, nessa perspectiva, deixas de lado impropriamente a dádiva da natureza, ou seja, apega-te a qualquer coisa exceto à razão.

20. Toda coisa que é de uma maneira ou outra bela ou boa o é a partir de si mesma, tem seu remate em si mesma e não tem o louvor como parte de si mesma. Aquilo que louvamos não se torna algo nem pior nem melhor pelo fato de ser louvado. Digo isso inclusive no que se refere ao que gente mais comum classifica de belo ou bom, por exemplo, as coisas materiais e os objetos artificiais; o que é de fato bom ou belo carece de algo mais? Não mais que a lei, não mais que a verdade, não mais que a benevolência ou a honra. Quais são boas ou belas por causa do louvor ou corrompidas por causa da censura? É, afinal, uma esmeralda tornada pior do que era por não ter sido objeto de louvor? E quanto ao ouro, ao marfim, à púrpura, a uma *pequena pedra preciosa*,[4] a uma pequena flor, a um arbusto?

21. Na hipótese da persistência das almas [após a morte], como houve desde a eternidade ar suficiente para contê-las? Como houve terra suficiente desde a eternidade para conter os corpos que restaram dos mortos? Pois, como *aqui*,[5] mesmo eles, depois de haverem permanecido na terra por algum tempo, passaram à transformação e à decomposição, abrindo espaço suficiente para outros cadáveres, igualmente as almas, deslocadas pelos ares, tendo neles sido mantidas por certo tempo, transformam-se, expandem-se e inflamam-se, acolhidas pela razão criadora do universo, desse modo fornecendo espaço suficiente às almas que buscam aí outra morada. Esta seria a resposta na hipótese da persistência das almas [após a morte]. É necessário não apenas ter em mente a imensa quantidade desses corpos sepultados como também aquela dos animais comidos por nós diariamente, os quais, por sua vez, comem os outros animais. Com efeito, é de se imaginar: qual o número de corpos que é assim consumido e, que o digamos assim, sepultado nos corpos daqueles que deles se alimentam? E a despeito disso, não falta espaço para recebê-los, quer por causa de sua

---

4. No original, "μαχαίριον" (*makhaírion*). Outra possível tradução é "*pequeno sabre*".
5. No original, "ἐνθάδε" (*entháde*). Isto é, neste mundo, aqui sobre a Terra.

conversão em sangue, quer em razão de sua transformação em uma substância aérea ou em uma substância ígnea.

Em relação a isso, como realizar *a investigação da verdade*?[6] Distinguindo entre a matéria e a causa formal.

22. Não te deixes dominar pela impetuosidade, transmitindo, sim, justiça em todas as tuas ações e impulsos, e em todas as tuas ideias conserva o entendimento.

23. Harmonizo tudo em mim, ó mundo, tu que és harmonioso. Nada é para mim precoce nem tardio daquilo que para ti está situado no tempo oportuno. Tudo é para mim, ó natureza, fruto do que trazem consigo as tuas estações; todas as coisas emergem de ti, todas as coisas estão em ti, todas as coisas tendem para ti. Alguém disse: "Cara cidade de Cécrops".[7] Não dizes tu: Ó cara cidade de Zeus?

24. "Executa poucas coisas", ele[8] diz, "se pretendes atingir a alegria". Não seria de melhor valia [dizer] para executarmos as coisas necessárias e aquilo que a razão elege para um animal naturalmente social e dizer como o elege? De fato, com isso produzirás não só o júbilo resultante da boa conduta como também aquele de executar poucas coisas. Realmente, a maior parte daquilo que falamos e fazemos é desnecessária, de modo que se a eliminarmos teremos mais lazer e estaremos mais tranquilos. Daí a necessidade de lembrar a si mesmo a cada oportunidade sobre cada coisa: não estará entre as coisas desnecessárias? Deve-se não apenas eliminar as ações desnecessárias como também as *ideias*;[9] com efeito, assim, não se seguirão as ações que essas ideias poderiam acarretar.

25. Experimenta por ti mesmo como te sairás bem com a vida de uma pessoa de bem, aquela que se contenta com a parte que lhe é atribuída pelo todo e para a qual basta ser justa em suas ações e benevolente nas disposições que manifesta.

26. Viste aquilo? Pois vê isto também. Não perturbes a ti mesmo. Torna-te simples. Causam danos a ti? Aquele que o faz causa dano a si mesmo. Foste atingido por algum acontecimento? Ótimo, tudo aquilo

---

6. No original, "ἡ ἱστορία τῆς ἀληθείας;" (*he historía tês aletheías;*). Essas considerações, entretanto, situam-se no domínio da filosofia da natureza, e não no da metafísica.
7. O autor dessa passagem nos é desconhecido.
8. Trata-se de Demócrito.
9. No original, "φαντασίας" (*phantasías*).

que acontece foi determinado para ti pelo universo desde o princípio e segundo a trama do destino. Em síntese, a vida é curta; tira vantagem do presente com prudência e justiça. Sê sóbrio sem constrangimento.

27. Ou um mundo disposto ordenadamente, ou uma desordem, mas ainda assim um mundo. Mas é possível que em ti haja alguma ordem como fundamento? E desordem no universo? E isso quando todas as coisas são combinadas, fundidas e conjugadas mutuamente?

28. Caráter negativo, *caráter feminino*,[10] caráter obstinado, selvagem, pueril, bestial, covarde, desleal, charlatanesco, de *pequeno mercador*,[11] tirânico.

29. Se para o mundo ser estrangeiro é ignorar o que neste existe, não menos o é ignorar seus acontecimentos. É um fugitivo quem se esquiva à razão social; um cego quem fecha os olhos do entendimento; um indigente quem carece de outra pessoa e que não toma de seus próprios recursos todas as coisas úteis à vida. Aquele que abandona a razão, a qual infunde a natureza de comunidade e dela se distancia porque está descontente com os acontecimentos que o atingem constitui um abscesso do mundo, pois a natureza que produz os acontecimentos é a mesma que te produziu. Aquele que secciona sua própria alma daquela dos seres racionais torna-se um pedaço amputado do Estado; com efeito, a alma é una.

30. O sem túnica age filosoficamente, enquanto o destituído de livros também; e mesmo aquele seminu. "Não tenho pão", ele diz, "e me mantenho fiel à razão". Quanto a mim, eu que disponho dos recursos para os estudos, não me mantenho fiel a ela.

31. Dedica ao ofício de artesão que aprendeste amor e aceitação integral; quanto ao resto de tua vida, percorra-o como alguém que com a plenitude de sua alma deposita confiança nos deuses sobre tudo o que lhe diz respeito e que, em relação aos seres humanos, não se posiciona nem como tirano nem como escravo.

32. Pensa, a título de exemplo, no tempo de Vespasiano[12] e verás tudo isto: pessoas casando, educando filhos, ficando enfermas, morrendo,

---

10. No original, "θῆλυ ἦθος" (*thêly êthos*). Novamente, Marco Aurélio usa o feminino para dar conotação pejorativa a algo.
11. No original, "καπηλικόν" (*kapelikón*). Significa pouco honesto.
12. Titus Flavius Vespasianus (9 d.C.-79 d.C.), imperador romano de 69 a 79.

lutando na guerra, celebrando festas, fazendo comércio, lavrando a terra, bajulando, exibindo arrogância, alimentando suspeitas, conspirando, desejando a morte de algumas outras pessoas, murmurando queixas contra o presente, *amando*,[13] entesourando, desejando ardentemente o posto de cônsul ou de rei. E, no entanto, esse mundo absolutamente não existe mais. Passa então para a época de Trajano:[14] todas essas ações se repetem e o mundo do tempo dele está também extinto. Examina, ademais, do mesmo modo os outros registros de tempos e de nações inteiras e observa quantos seres humanos, após haverem despendido todos os seus esforços não tardaram a tombar, condenados à dissolução entre os elementos. Mas recorda, principalmente, daqueles que conheceste pessoalmente, aqueles que entretidos com coisas vãs, se omitiram quanto a agir em consonância com sua própria constituição, se manterem indissociavelmente ligados a ela e se contentarem com ela. Impõe-se, entretanto, lembrar aqui que a atenção a acompanhar cada ação precisa possuir sua avaliação e proporção próprias. Dessa maneira, não perderás o ânimo, caso não tenhas te ocupado com as coisas inferiores mais tempo do que o conveniente.

33. As palavras que outrora era costume empregar são agora arcaicas e estranhas; também são arcaicos e estranhos atualmente os nomes de outrora, então celebrados por hinos: Camilo, Céson, Voleso, Leonato;[15] logo depois, Cipião e Catão,[16] em seguida, Augusto,[17] incluindo também

---

13. No original, "ἐρῶντας" (*erôntas*). Referência ao amor sexual.
14. Marcus Ulpius Traianus (?52-117 d.C.), imperador de 98 a 117.
15. Heróis militares. Camilo: a alusão parece ser ao ditador que governou Roma no início da República. Leonato: ilustre general que lutou no exército de Alexandre da Macedônia.
16. Não sabemos exatamente a qual Cipião Marco Aurélio se refere, pois houve, no mínimo, dois generais romanos de enorme prestígio, ambos envolvidos nas Guerras Púnicas e vitoriosos: Publius Cornelius Scipio (*Africanus Major*) (?237 a.C.-183 a.C.), que derrotou o exército cartaginês comandado por Aníbal, em Zama (África), em 206 a.C., e Publius Cornelius Scipio (*Africanus Minor*) (?185 a.C.-129 a.C.), que derrotou Cartago definitivamente na Terceira Guerra Púnica, entre 149 a.C. e 146 a.C. Também houve mais de um Catão famoso na história de Roma: Catão, o Velho (Marcus Porcius Cato, 234 a.C.-149 a.C.), político influente do tempo da República romana, que ficou célebre por fomentar a campanha a favor da guerra contra Cartago; e Catão, o Jovem (Marcus Porcius Cato, 95 a.C.-46 a.C.), também conhecido como Catão de Útica, bisneto do primeiro, filósofo estoico, republicano convicto e adversário político de César; suicidou-se em 46 a.C.
17. Nome com o qual Otaviano, ou Gaius Julius Caesar Octavianus (63 a.C.-14 d.C.), sobrinho em segundo grau e protegido de César, autodenominou-se; foi membro do segundo triunvirato e primeiro imperador romano de 27 a.C. a 14 d.C.

depois Adriano[18] e Antonino.[19] Com efeito, todos depressa se extinguem, adquirindo caráter de fábula, não demorando para que um completo esquecimento os cubra. E digo isso daqueles que de um modo ou outro foram extraordinariamente brilhantes, pois os restantes já no seu último alento se tornaram *desconhecidos, ignorados*[20] e não se ouviu mais falar deles. O que é, então, em geral, que se perpetua como memória? Em geral, a vaidade. Assim, no que é preciso que coloquemos nosso empenho? Apenas no seguinte: um pensamento de acordo com a justiça, uma conduta em prol do interesse comum, um discurso que jamais engane e uma disposição que acolha zelosamente todos os acontecimentos como necessários, como aptos a serem reconhecidos, como brotando do mesmo princípio e da mesma fonte.

34. Entrega-te espontaneamente a Cloto,[21] com teu assentimento a suportar todas as coisas desejadas por ela.

35. Tudo é efêmero, inclusive o lembrar e aquilo de que se lembra.

36. Mantém-te a observar que tudo acontece por meio de transformação e habitua-te a ter em mente que nada agrada mais a natureza do universo do que transformar os seres e produzir novos seres semelhantes. Com efeito, tudo o que existe é de alguma maneira uma semente das coisas que serão. Todavia, a única ideia que fazes do que seja semente é a das sementes lançadas à terra ou a do sêmen lançado ao útero da mãe. Isso é ser extremamente ignorante.

37. Estás na iminência de morrer e não és nem simples, nem imperturbável, nem livre de suspeitas capazes de te prejudicar o que é exterior, nem favorável com todos, nem dado a instalar a sabedoria na prática exclusiva da justiça.

38. Observa com olho crítico seus princípios norteadores e os indivíduos sensatos, tanto aquilo de que se esquivam como aquilo que buscam.

---

18. Hadriano ou Publius Aelius Hadrianus (76 d.C.-138 d.C.) foi imperador romano entre 117 e 138.
19. Antonino Pio (86 d.C.-161 d.C.) foi imperador entre 138 e 161; pai adotivo de Marco Aurélio e seu antecessor.
20. No original, "ἄϊστοι, ἄπυστοι" (*áïstoi, ápystoi*).
21. Uma das três divindades ligadas ao destino dos seres humanos, aquela que fia a trama da vida humana.

39. Teu mal não tem como fundamento o princípio norteador dos outros, tampouco alguma mudança ou transformação daquilo que te circunda. Então, de onde vem? Daquele lugar em ti no qual os males são acolhidos e protegidos. Assim, que não sejam tais males acolhidos e protegidos, e tudo caminhará bem. Mesmo quando aquilo que está maximamente perto de ti, a saber, teu corpo, fosse submetido a esquartejamento, fosse queimado, supurado, levado à putrefação; a despeito disso, espera-se que a parte que acolhe e protege essas ações às quais o corpo é submetido mantenha a serenidade, isto é, que aquilo que pode acontecer indiscriminadamente ao homem mau e ao homem bom seja julgado por tal parte do corpo como não sendo nem mau nem bom. Realmente aquilo que pode acontecer igualmente aos que vivem contra a natureza e aos que vivem de acordo com ela não está de acordo com a natureza nem a contraria.

40. Concebe ininterruptamente o mundo como um ser vivo único, possuidor de uma substância única e uma alma única; como todas as coisas remontam a uma faculdade de percepção única; como todas as coisas atuam por um impulso único; como todas as coisas concorrem para a causa de todas as coisas; ademais, como estão tecidas e enoveladas em conjunção.

41. Como declarou Epicteto: "*És uma pequena alma que soergue um cadáver*".²²

42. Ao ser em transformação nada de mal ocorre, como nada de bom ocorre ao ser que tem a transformação como seu fundamento.

43. O tempo assemelha-se a um rio e a uma corrente violenta constituídos pelo vir a ser das coisas. Com efeito, tão logo cada coisa é vista, já é incorporada e sucedida por outra que obedecerá ao mesmo processo.

44. Tudo aquilo que acontece é tão costumeiro e ordinariamente conhecido quanto a rosa na primavera e os frutos no verão; isso também se aplica a doença, morte, calúnia, maquinações e a tudo o mais que atinge os tolos com alegria ou dor.

45. O que sucede está invariavelmente aparentado e nasce do que precede; com efeito, não se trata de uma enumeração que possui apenas

---

22. No original, "Ψυχάριον εἶ, βαστάζον νεκρόν" (*Psykhárion eî, bastázon nekrón*). Fragmento 26, Schenkl. Epicteto de Hierápolis (?60 d.C.-?120 d.C.), filósofo estoico grego. Inicialmente escravo, tornou-se cidadão romano.

independente e respectivamente um conteúdo que lhe é imposto, mas de um processo contínuo de cunho racional. E tal como *as coisas que são*[23] estão em perfeita harmonia, *as que vêm a ser*[24] mostram não uma simples sucessão, mas certo parentesco extraordinário.

46. Tem sempre em mente as palavras de Heráclito: "A morte da terra é o nascimento da água, a morte da água é o nascimento do ar, a morte do ar é o nascimento do fogo, e assim inversamente". Tem também em mente aquele indivíduo "que esquece aonde a estrada conduz; e que as pessoas na sua associação constante e majoritária com a razão, a qual comanda todas as coisas, por vezes desta divergem; e que parecem encarar como estranhos os acontecimentos que as atingem diariamente. E que não se deve realizar coisas nem as dizer como se embalados pelo sono, pois parece, nesse caso, que assim agimos e falamos como fazem crianças que imitam os pais",[25] quer dizer, seguindo o usual e como nos foi ensinado.

47. Mesmo que um dos deuses te dissesse que morrerás amanhã ou, em todo caso, no dia que se segue ao de amanhã, não atribuirias mais, a não ser que fosses a pessoa mais vil entre os vis, grande peso ao fato de morrer depois de amanhã ou amanhã; afinal, o que significa esse intervalo? Ademais, não julgues que tem grande importância morrer depois de muitos anos a morrer amanhã.

48. Conserva-te refletindo quantos médicos frequentemente morreram após cerrarem as pálpebras dos enfermos, e quantos astrólogos após preverem, isso com ares de grandeza, as mortes alheias; quantos filósofos depois de produzirem um número incalculável de discursos acerca *da morte ou da imortalidade*;[26] quantos indivíduos sumamente corajosos depois de exterminarem muitas pessoas; quantos tiranos que se apoderaram de vidas empregando uma cruel arrogância, como se fossem imortais; quantas cidades, que se permita dizê-lo assim, inteiramente mortas, Hélice, Pompeia, Herculano[27] e uma quantidade inumerável de outras.

---

23. No original, "τὰ ὄντα" (*tà ónta*).
24. No original, "τὰ γινόμενα" (*tà ginómena*).
25. A passagem é de Heráclito, respectivamente fragmentos 76, 71, 72, 73, 74, Diels.
26. No original, "θανάτου ἢ ἀθανασίας" (*thanátoy è athanasías*).
27. Hélice foi tragada pelo mar, em 373 a.C.; Pompeia e Herculano foram destruídas pela erupção do Vesúvio, em 79 d.C.

Acresce os que tu presenciaste morrer um após o outro. Alguém cuidou do funeral de outra pessoa para depois receber esse cuidado de um terceiro; tudo em pouco tempo. Em resumo, convém considerar sempre as coisas humanas como efêmeras e de escasso valor: *e ontem um pouco de ranho, amanhã corpo embalsamado ou cinza*.[28] Percorre, portanto, esse curto período de tempo em harmonia com a natureza e encerra teus dias serenamente a imitar uma azeitona que cai quando madura, a louvar a terra que a fez nascer e a agradecer à árvore que a produziu.

49. Sê semelhante ao promontório no qual as ondas se chocam ininterruptamente, que, porém, permanece firme e acalma o ímpeto das águas que o circundam.

Infeliz que sou por conta desse acontecimento que me atingiu. – Não, ao contrário, feliz ainda que me tenha acontecido, pois permaneço sem experimentar sofrimento nem ser esmagado pelo presente, nem sob o peso do temor do que virá em seguida. De fato, seria possível que isso acontecesse a qualquer pessoa, mas qualquer pessoa não teria permanecido, após atingida por esse evento, sem experimentar sofrimento. E por que então isso que aconteceu seria mais infelicidade do que o outro acontecimento seria felicidade? Dizes, em suma, ser infelicidade ou fracasso de um ser humano aquilo que não constitui fracasso para a natureza humana? E aquilo que não contraria o desígnio da natureza humana a ti se afigura como sendo um fracasso para essa natureza? Ora, conheces esse desígnio. E, então, o acontecimento fortuito te impediria de ser justo, de alma grandiosa, moderado, prudente, ponderado, sincero, reservado, livre, e assim por diante, possuidor de todas aquelas qualidades cuja presença leva a natureza do ser humano a recolher as coisas que lhe são próprias? Lembra-te, ademais, de recorrer ao seguinte princípio em todas as situações que te levarem à aflição: isto não é infelicidade, podendo ser felicidade se a suportar nobremente.

50. Para obter o desdém da morte, constitui ajuda vulgar, todavia eficaz, a lembrança daqueles que se apegaram à vida tenazmente. O que conseguiram mais do que aqueles que tiveram um desenlace prematuro?

---

28. No original, "καὶ ἐχθὲς μὲν μυξάριον, αὔριον δὲ τάριχος ἢ τέφρα" (*kaì ekhthès mèn myxárion, aýrion dè tárikhos è téphra*). A impassibilidade e a indiferença (ἀπάθεια [*apátheia*]) diante das coisas humanas são traduzidas em imagens desapaixonadas e prosaicas.

Em todo caso, estão estendidos em algum lugar Cadiciano, Fábio, Juliano, Lépido[29] ou quaisquer outros que, depois de haverem conduzido muitos para o túmulo, foram eles mesmos conduzidos a ele. Em síntese, o intervalo que separa o nascimento da morte é pequeno, e através de que provações e vicissitudes, de que companhias e em que corpos nos é necessário preenchê-lo! Assim, não te inquietes com isso. Observa atrás de ti o infinito do tempo e adiante de ti outro infinito. E no que diferem neles o indivíduo que viveu três dias e aquele que viveu três vezes a idade de Nestor, o gereniano?[30]

51. Caminha e corre sempre pelo caminho curto, e o caminho curto é aquele conforme a natureza, de modo que tudo o que digas e faças seja maximamente sensato. Com efeito, com esse projeto e procedimento, vais te afastar dos golpes do sofrimento e das *expedições militares*,[31] bem como de todas as sutilezas e ostentações.

---

29. A identificação dos três primeiros é dificílima, pois eram nomes muito comuns em Roma, mesmo entre pessoas de certa importância. Já Lépido, Marcus Aemilius Lepidus (90 a.C.-13 a.C.), era um dos integrantes do triunvirato formado também por Otaviano e Marco Antônio, em 43 a.C.
30. Personagem presente na *Ilíada*, de Homero.
31. No original, "στρατείας" (*strateías*). Porém, o sentido genérico e amplo de "conflitos" também pode ser aplicado aqui.

LIVRO V

1. Ao romper a aurora, quando despertar é para ti difícil, põe à tua disposição a ideia de que despertas para realizar a obra de um ser humano; será o caso de manter o mau humor, quando sei que vou fazer aquilo para o que nasci e em função do que fui instalado no mundo? Ou será que fui feito para ficar deitado e me conservar aquecido sob as cobertas? – Mas isso é agradável. – Então o objetivo de teres nascido foi proporcionar-te prazer? Em uma palavra, não foi para a ação ou a atividade, mas para a passividade? Não vês que os arbustos, os pequenos pardais, as formigas, as aranhas, as abelhas exercem suas atividades próprias concorrendo, cada um deles, para a ordem do mundo? E tu, depois disso, não queres realizar as obras humanas? Não participas da caminhada e corrida a favor da natureza? – Entretanto, é preciso também repousar. – Reconheço que sim; a natureza, contudo, determinou uma medida para isso, como certamente o fez com relação ao comer e ao beber; tu, todavia, ultrapassas a medida, ultrapassas o que é suficiente; e nas tuas ações não é assim que ages, mas ficas abaixo daquilo de que és capaz. Com efeito, não amas a ti mesmo, pois, se fosse o caso, amarias igualmente tua natureza e a vontade dela. As outras pessoas, esquecendo [até] de se lavarem e se alimentarem, nos seus ofícios mourejam no trabalho; tu concedes menor apreço a tua própria natureza do que o cinzelador à cinzeladura, ou o dançarino à dança, ou o avarento ao dinheiro, *ou o vaidoso à vaidade*.[1] Estes, sempre que experimentam um gosto ardente pelo que fazem, não desejam mais comer nem dormir enquanto não progridem ao mesmo tempo naquilo a que se dedicam; no que diz respeito a ti, parecem as ações comunitárias detentoras de menor valor e merecedoras de menor zelo?

---

1. No original, "ἢ ὁ κενόδοξος τὸ δοξάριον" (*è ho kenódoxos tò doxárion*). Outra tradução possível é "ou o amante de glórias vãs a uma modesta glória".

2. Como é fácil repelir e afastar toda ideia inoportuna ou inconveniente e estar em plena tranquilidade!

3. Julga a ti mesmo merecedor de todo discurso ou ação que esteja em conformidade com a natureza; e não te deixes deter por conta da censura de alguns ou com as palavras possivelmente decorrentes de tal censura, não havendo como te considerares indigno de agires ou falares se nisso residir nobreza. Os outros possuem suas diretrizes e suas inclinações. No que se refere a ti, não fiques olhando a tua volta, mas segue direto rumo a tua meta, encaminhado por tua natureza e aquela comum: a estrada que ambas percorrem é uma só.

4. Caminho pela estrada em conformidade com a natureza até a queda e o repouso, expirando ao ar do qual aspiro cotidianamente e tombando sobre a terra de onde meu pai colheu a semente, minha mãe, o sangue, e minha ama-seca, o leite; a fonte que ao longo de tantos anos me tem suprido de alimento e bebida, que me sustenta quando sobre ela piso ao caminhar e da qual me beneficio por conta de tantos propósitos.

5. Tua perspicácia não tem sido objeto de admiração. Que seja. Há, porém, muitas outras qualidades em relação às quais estás impossibilitado de dizer: não tenho para elas nenhum pendor natural. Portanto, basta que as adquira, visto que dependem totalmente de ti, a saber, a honestidade, a seriedade, a firmeza diante do trabalho árduo, a moderação quanto aos prazeres, a aceitação da própria sorte, o gênero de vida com poucas necessidades, a benevolência, a postura de um homem livre, a simplicidade, a ausência de frivolidade, a magnificência. Não percebes a quantidade de qualidades que, desde já, podes adquirir, qualidades para as quais não estás de modo algum naturalmente incapacitado nem impossibilitado de pretextar qualquer inaptidão? E, apesar disso, continuas voluntariamente abatido, aos murmúrios, amesquinhando, bajulando, acusando teu corpo, mostrando-te obsequioso, leviano, e agitando tua alma incessantemente. Será a carência de pendores naturais que te impõe isso? Não, pelos deuses! Poderias há muito tempo ter te livrado dessas falhas e te restringido, se com efeito é o caso, a assumir a culpa por tua maior lentidão mental e maior dificuldade de entendimento; inclusive nisso deves preparar-te mediante exercício para não subestimar essa limitação mental nem te comprazer com ela.

6. Há um tipo de pessoa que mal acabou de fazer um favor a alguém e já está pronta a exigir o ajuste de contas do favor. Há outro que, embora não se predisponha assim, comportando-se diferentemente, pensa consigo mesmo que o favorecido é como um devedor e está ciente do que fez. Há outro tipo de pessoa, ainda, que embora de alguma maneira não esteja mais ciente do que fez, é, porém, semelhante à videira que produz uvas e nada exige, uma vez que produz o fruto que lhe é próprio, como foi próprio do cavalo ter corrido, do cão ter caçado, da abelha haver produzido mel. Essa pessoa, ao beneficiar alguém, não faz disso alarde, limitando-se a transmitir o bem a outra pessoa, como a videira que na próxima estação novamente produz uvas. – É preciso, assim, estar entre aqueles que, de certo modo, agem *sem atinar com as consequências*?[2] – Sim. – Mas é preciso atinar com as consequências, pois dizem que é próprio daquele que vive em sociedade sentir que suas ações têm cunho social, além de querer, por Zeus, que o outro membro da sociedade ao qual favorece igualmente o sinta. – O que dizes é verdade, mas interpretas mal o que eu disse agora; e, por isso, te colocas no rol daqueles aos quais me referia antes, que, com efeito, se deixam desviar em função de certa verossimilhança lógica. Se, entretanto, é tua vontade apreender o que eu disse, não temas ser isso uma causa de teu desvio de alguma obra social.

7. Prece dos atenienses: "Faz chover, faz chover, ó caro Zeus, sobre os campos dos atenienses e sobre suas planícies!". Ou não é preciso orar, ou é preciso fazê-lo assim, ou seja, de maneira simples e como homens livres.

8. Dizem que Asclépio[3] prescreveu para determinada pessoa equitação ou banhos frios ou caminhar descalça; igualmente seria o caso de se dizer que a natureza do universo prescreveu para determinada pessoa a doença, a privação de um membro ou de um sentido, ou a perda de um destes ou outra coisa do gênero. Com efeito, naquele caso *prescreveu*[4] significa isto: para determinada pessoa foi prescrito algo correspondendo à

---

2. No original, "ἀπαρακολουθήτως" (*aparakoloythétos*). Significa inconsequentemente, de modo precipitado.
3. Semideus filho de Apolo com uma mortal. Foi deificado e se tornou o deus da medicina. A arte da cura lhe fora ensinada por Quíron, o sábio centauro.
4. No original, "Συνέταξε" (*Synétaxe*). Ioannes Stich registra a palavra com sigma maiúsculo.

sua saúde; neste significa que o que acontece a cada um de algum modo lhe foi prescrito *correspondendo ao seu destino*.[5] É, afinal, como quando dizemos que há harmonia entre nós e aquilo que nos acontece, bem como dizem os pedreiros que as pedras quadrangulares que se integram nos muros ou nas pirâmides, ao se ajustarem umas nas outras segundo certa combinação, encontram a harmonia. *Em síntese, existe, com efeito, uma única harmonia*.[6] E tal como esse corpo que é o mundo é constituído pela totalidade dos corpos, a causa que é o destino é constituída pela totalidade das causas. E o que eu digo é o que pensam [até] os que são inteiramente ignorantes, pois dizem: Isso lhe foi trazido pelo destino. Portanto, isso lhe foi trazido e isso a ele foi prescrito. Aceitemos, assim, os acontecimentos que nos atingem como aceitamos as prescrições de Asclépio. Não há dúvida de que há entre as coisas por ele prescritas muitas ásperas ou amargas, mas não hesitamos em aceitá-las prontamente na expectativa da recuperação da saúde. Que o resultado e a consumação das coisas que pareceram boas para a natureza universal sejam por ti encarados como encaras tua saúde. Ademais, acolhe prontamente tudo o que te acontece, mesmo quando o julgues mais amargo, porque tudo isso conduz à saúde do mundo, ao caminho sem obstáculos e à felicidade de Zeus. A propósito, isso não teria se produzido para alguém se não fosse do interesse do universo, e a natureza, que não atua ao acaso, nada traz que não corresponda àquele que se encontra sob seu governo. Assim, são duas as razões que te levam à necessidade de suportar o que te acontece: uma é esse acontecimento ter sido gerado para ti e prescrito para ti desde o princípio na trama das causas mais antigas; a outra é o fato de que aquilo que acontece a cada um em particular constitui causa da boa trajetória, da perfeição e, por Zeus, da própria persistência do regente do universo. Efetivamente, aquilo que forma o universo estaria mutilado no caso de uma ruptura da ligação e da continuidade de suas partes e de suas causas. Bem, produzes uma ruptura delas, na medida de tua capacidade de fazê-lo, toda vez que te mostras descontente com os acontecimentos que te atingem, com o que de alguma maneira destróis essa ligação e continuidade.

---

5. No original, "κατάλληλον πρὸς τὴν εἱμαρμένην" (*katállelon pròs tèn heimarménen*).
6. No original, "Ὅλως γὰρ ἁρμονία ἐστὶ μία" (*Hólos gàr harmonía estì mía*).

9. Não te desgostes, nem te deixes abater, nem desistas se não é frequente conseguires agir em cada situação com base nos princípios corretos; mas depois de barrado ou desviado no que se refere a isso, volta e continua insistindo e aceitando a situação com alegria, se tua conduta conservar maior grau de caráter humano; ademais, dedica amor a essa experiência e não te entregues à filosofia como te entregarias a um preceptor de crianças, mas como os portadores de uma irritação dos olhos se entregariam à *pequena esponja e ao ovo*,[7] como outro a um cataplasma, ou outro a uma compressa. Com esse comportamento não estarás fazendo exibicionismo de tua obediência à razão, mas estarás encontrando tranquilidade com ela. Lembra-te, inclusive, de que a filosofia só quer de ti o que a natureza quer de ti; tu, porém, querias o que não está de acordo com a natureza. – Ora, dessas alternativas qual a mais conveniente e favorável? Não é por conta disso, ou seja, dessa conveniência que somos levados pelo prazer a vacilar e a errar? Mas pondera se não são mais convenientes e favoráveis a grandeza de alma, a liberdade, a simplicidade, a bondade, a devoção religiosa. E o que há, com efeito, mais conveniente e favorável do que a sabedoria quando atentas para a infalibilidade e a fluência em todas as coisas dessa faculdade do intelecto e do conhecimento?

10. De algum modo, as coisas encontram-se tão veladas a ponto de não terem sido poucos os filósofos que foram da opinião de que são inteiramente incompreensíveis. Mesmo os estoicos as consideraram de difícil compreensão; e todos os assentimentos que a elas atribuímos sofrem constante mudança, pois onde está aquele que se mantém estável acerca delas? Passando, então, para as coisas básicas ao nosso alcance, constatamos como duram pouco, como é precário seu valor e como são passíveis de cair nas mãos de um indivíduo obsceno, de uma prostituta ou de um ladrão! Depois disso, passemos para o temperamento das pessoas com as quais convivemos: com que dificuldade toleramos até a mais amável entre elas, isso sem dizer com que dificuldade ela tolera a si mesma! Imersos nessas trevas, nesse lodo e em semelhante fluxo da substância e do tempo, do movimento e daquilo

---

7. No original, "πρὸς τὸ σπογγάριον καὶ τὸ ᾠόν" (*pròs tò spoggárion kaì tò oión*). Cf. Plínio, o Velho, *História natural*, XXIX, 3.

que é movido, o que há afinal que mereça algum apreço ou que seja passível de um zelo ou empenho total: nem sequer o concebo. Diante disso, é preciso intimar a si mesmo a aguardar a dissolução natural, não se aborrecendo com sua demora, buscando tranquilidade apenas nestas duas ideias: a primeira é que nada ocorrerá que não seja em conformidade com a natureza do universo; a segunda é que é possível para mim nada fazer que contrarie *meu deus e minha divindade tutelar*.[8] Com efeito, nada existe que me leve obrigatoriamente a transgredir suas orientações.

11. Ao que então ponho agora a serviço minha alma? A cada oportunidade volto a indagar a mim mesmo e interrogo meu íntimo: o que existe nesta parte de mim neste momento, parte que chamamos de faculdade condutora? Ademais, de quem é a alma que possuo neste momento? Não é a de uma criança? Não é a de um rapazola? Não é a de uma mulherzinha? Não é a de um tirano? Não é a de um animal de carga? Não é a de uma fera?

12. Podes julgar desde já o que são as coisas que a maioria ordinária dos indivíduos considera boas. Se, com efeito, alguém concebe certas coisas existentes como bens autênticos, dos quais são exemplos a sabedoria, a moderação, a justiça, a bravura, no instante em que as tiver assim concebido, se verá impossibilitado de compreender esta frase: "Sob o domínio dos bens", o que, com efeito, lhe parecerá incompatível ou carente de harmonia. Se, contudo, concebe como bens aquilo que para a maioria ordinária das pessoas se mostram como tais entenderá e facilmente admitirá, como é dito apropriadamente, a frase do cômico. A maioria, inclusive, concebe do mesmo modo essa diferença. De fato, no primeiro caso, a frase em pauta lhe causará desconforto, convertendo-se em objeto de rejeição; no caso, entretanto, de representar riqueza e uma condição venturosa que proporcionam uma vida de prazeres e prestígio, é admitida como conveniente e de bom-tom. Assim, vai em frente e pergunta se é preciso conceder apreço e estimar como bens coisas que, sob um adequado exame merecem a crítica de que o excesso de abundância rouba o espaço do conforto.

---

8. No original, "τὸν ἐμὸν θεὸν καὶ δαίμονα" (*tòn emòn theòn kaì daímona*).

13. *Sou formado de causa formal e matéria. Nenhuma dessas perecerá no não ser, bem como terá como fundamento o não ser.*[9] Como resultado, todas as partes de mim mediante transformação vão se distribuir nas partes do mundo; e novamente cada uma delas vai se transformar em outra parte do mundo, e assim sucessivamente até o infinito. Em decorrência dessa transformação contínua eu subsisto, e igualmente meus genitores remontando ao outro infinito. Com efeito, nada pode tolher este meu discurso, ainda que o mundo fosse governado por períodos determinados.

14. A razão e a lógica são faculdades que bastam a si mesmas e a operações que lhes dizem respeito. Seu movimento parte de um princípio que é delas característico; movem-se em uma rota rumo ao fim que lhes é proposto. É por isso que essas ações são chamadas ações retificadoras, em uma denotação da retidão de suas rotas.

15. Não é necessário que o ser humano se aplique a nada que não concerne ao ser humano enquanto ser humano. São coisas em relação às quais não há exigência da parte do ser humano, a natureza humana não as prescreve nem são a concretização da natureza humana. Não é nelas, portanto, que se acha a finalidade do ser humano, tampouco a consumação dessa finalidade, *o bem*.[10] Ademais, se alguma dessas coisas dissesse respeito ao ser humano, não lhe caberia nem a desdenhar nem dela distanciar-se; nesse caso, aquele que pretendesse dela prescindir e aquele que se privasse de qualquer uma delas não seriam louváveis nem seriam homens de bem, se nelas efetivamente houvesse bens. Nessas circunstâncias, quanto mais nos destituímos dessas coisas ou de outras do mesmo gênero, mais perseveramos nessa destituição e mais somos pessoas de bem.

16. Tua inteligência será idêntica àquilo que pensares frequentemente, em uma paridade entre as ideias que alimentas habitualmente e tua inteligência; com efeito, a alma se tinge das ideias. Assim, tinge tua alma alimentando assiduamente ideias como: onde se pode viver,

---

9. No original, "Ἐξ αἰτιώδους καὶ ὑλικοῦ συνέστηκα· οὐδέτερον δὲ τούτων εἰς τὸ μὴ ὂν φθαρήσεται, ὥσπερ οὐδὲ ἐκ τοῦ μὴ ὄντος ὑπέστη." (*Ex aitiódoys kaì hylikoŷ synésteka· oydéteron dè toýton eis tò mè òn phtharésetai, hósper oydè ek toŷ mè óntos hypéste*).
10. No original, "τὸ ἀγαθόν" (*tò agathón*).

também se pode viver bem; se é possível viver em uma casa, também é possível viver bem em uma casa. E, por outro lado, cada coisa é conduzida em função daquilo de que foi formada, estando seu fim naquilo em função do que foi conduzida; e onde está o fim também está o proveito e o bem de cada um; em decorrência disso, o bem de um animal racional encontra-se na comunidade. De fato, que fomos criados para viver em comunidade é algo que foi demonstrado já há muito tempo. Não salta aos olhos que os animais inferiores existem em função dos superiores e que estes existem em função de suas relações mútuas? Ora, os seres *animados*[11] detêm superioridade sobre os *inanimados*,[12] enquanto os seres racionais a detêm sobre os animados.

17. Buscar as coisas impossíveis é insano; é impossível, entretanto, que as pessoas más não façam algumas coisas assim [neste caso, algumas coisas más].

18. Nada acontece a alguém que não possa ser naturalmente suportado. Coisas idênticas acontecem a outra pessoa e, certamente, quer porque ignore a ocorrência desses incidentes, quer porque deseja fazer alarde de seus sentimentos elevados, ela se conserva firme e incólume. É realmente espantoso o fato de a ignorância e a vontade de agradar serem mais poderosas do que a sabedoria!

19. As próprias coisas não têm, de modo algum, contato com a alma, nem têm ingresso na alma, nem têm o poder de mudar ou mover a alma; só ela muda e move a si mesma; ademais, os acidentes são do prisma dela, o produto dos julgamentos que ela considera dignos de si mesma.

20. Em certo aspecto, o ser humano é o que há de mais aparentado a nós, na medida em que nos cabe fazer o bem aos demais indivíduos humanos e suportá-los; em outro, na medida em que algumas pessoas se opõem às minhas ações, o ser humano torna-se para mim uma entre aquelas coisas que me são indiferentes, não menos que o sol, o vento, o animal selvagem. Em decorrência disso, podem tolher minha ação, mas não são obstáculos para meus impulsos e disposições, porquanto meus atos estão na esfera de minha escolha, podendo eu superar o fato de ser tolhido. Com efeito, a inteligência, a fim de rumar para sua meta,

---

11. No original, "ἔμψυχα" (*émpsykha*). Significa dotados de alma.
12. No original, "ἀψύχων" (*apsýkhon*). Significa destituídos de alma.

converte todo tolhimento à sua atividade em um auxílio, resultando que a barreira se torna promotora da ação; e aquilo que é barreira na estrada nos auxilia nessa estrada.

21. Presta honra ao que existe de melhor e mais poderoso no mundo: é aquilo que faz uso de tudo e que dirige tudo. Igualmente honra também em ti o melhor e o mais poderoso, que é algo do mesmo gênero do já citado. Com efeito, trata-se daquilo que em ti faz uso das outras coisas e que rege tua vida.

22. O que não é danoso ao Estado não causa dano ao cidadão. A seguinte regra deve ser aplicada sempre que imaginares que foste vítima de um dano: se o Estado não foi vítima de um dano, tampouco eu o fui; se, todavia, o Estado foi vítima de um dano, não é o caso de se irar contra quem causa dano ao Estado, bastando exortá-lo indicando o seu ato danoso.

23. Reflete com frequência na celeridade com que seres e acontecimentos se tornam passado e se dissipam. *Com efeito, a substância é como um rio em um fluxo ininterrupto*;[13] ademais, as forças atuantes encontram-se em um processo contínuo de transformação, enquanto as causas mudam de inúmeras maneiras. Além disso, quase nada é estável, e há, diante de nós, extremamente próximo, um vazio imenso e infinito do pretérito e do futuro em que tudo desvanece. Como poderia então deixar de ser tolo o indivíduo que se enchesse de orgulho, se atormentasse ou se lamentasse como se durante algum tempo, ou muito tempo, fosse presa de uma perturbação causada por alguma coisa?

24. Recorda-te da substância total na qual tens a menor das participações, do tempo total do qual a ti coube um curto e minúsculo intervalo e do destino do qual constituis uma débil parte!

25. Outra pessoa cometeu uma falta que me atingiu? Isso diz respeito a ela. São suas disposições pessoais, suas ações pessoais. De minha parte, disponho neste momento do que a natureza universal quer que eu disponha neste momento e faço o que minha natureza quer que eu faça.

26. Que a faculdade condutora e soberana de tua alma permaneça impassível relativamente aos movimentos que perpassam tua carne,

---

13. No original, ""Η τε γὰρ οὐσία οἶον ποταμὸς ἐν διηνεκεῖ ῥύσει" (*Hé te gàr oysía hoîon potamòs en dienekeî rhýsei*).

independentemente de serem brandos ou violentos; e que não se misture com eles, mas que estabeleça limites para si mesma e afaste essas afecções para os membros do corpo. Quando, porém, em virtude da simpatia que as une reciprocamente, disseminam-se na inteligência e no corpo que a ela está vinculado, é dispensável lutar contra a sensação, sendo esta natural, mas necessário evitar que a faculdade condutora instale com base em si mesma a pressuposição de que há na sensação bem ou mal.

27. Viver junto aos deuses. Vive junto aos deuses a pessoa que a eles revela continuamente a própria alma em contentamento diante daquilo que lhe foi destinado, realizando plenamente a vontade da divindade tutelar, fragmento que Zeus arrancou de si mesmo e concedeu a cada um na qualidade de protetor e condutor e que é a inteligência e a razão de cada um.

28. Ficas irritado com alguém cujas axilas exalam mau cheiro? Irritado com alguém que tem mau hálito? O que ele pode fazer? Essa é a boca que tem. Essas são as axilas que tem. É inevitável que produzam essas emanações. – Entretanto, o ser humano (é o que se diz) é possuidor da razão e capaz, exercendo a ponderação, de atinar no que consiste sua deficiência. – Respondeste bem! Eis porque tu, inclusive, tens a razão. Mediante tua disposição racional, podes impulsionar a disposição racional dele; explica a ele, advirta-o. Se, afinal, compreender, tu o terás curado, não havendo necessidade de irritação.

[Aqui, não é o caso] nem do trágico, nem da prostituta.

29. A vida que pretendes ter na condição de egresso daqui estás facultado a tê-la aqui mesmo. Se, contudo, nenhuma [liberdade] te foi confiada, parte então da vida, mas como alguém que nela não sofreu nenhum mal. "*Eis a fumaça e eu vou embora.*"[14] Julgas isso uma tarefa? Mas, na medida em que nada de semelhante foi subtraído de mim, prossigo livre, nada me barrando quanto a agir conforme minha vontade. E o que desejo é aquilo segundo a natureza de um ser vivo racional e social.

30. A inteligência do universo tem caráter comunitário. Assim, certamente criou seres inferiores em função dos superiores; e com relação aos superiores os organizou harmonizando-os entre si. Contempla como ela executou a subordinação, a coordenação e a distribuição de todas as

---

14. Adágio: no original, "Καπνός, καὶ ἀπέρχομαι" (*Kapnós, kaì apérkhomai*).

coisas conforme seu valor e organizou os melhores entre os seres para viverem entre si em concórdia!

31. Qual foi até agora teu comportamento com os deuses, teus pais, irmãos, esposa, filhos, mestres, governantes, amigos, parentes e serviçais? Até agora teu comportamento com todos eles foi em consonância com a máxima "não sejas injusto com ninguém nem em teus atos nem em tuas palavras"?[15] Faz também por meio da memória um levantamento das coisas pelas quais passaste e daquilo que pudeste suportar. E lembra-te de que a história de tua vida desde já está completa e tuas tarefas realizadas; lembra-te de quantas coisas nobres e belas te ocupaste, quantos prazeres e dores experimentaste, quantas glórias deixaste escapar, com quantos indivíduos ignorantes, imprudentes e ingratos praticaste a benevolência.

32. Por que as almas inábeis e destituídas de conhecimento transtornam uma possuidora de conhecimento? O que é, então, uma alma dotada de habilidade e conhecimento? É a ciente do princípio e do fim, bem como da razão que perpassa a substância universal e que, no abismo dos tempos, governa o universo obedecendo a períodos determinados.

33. Não tardará para que sejas cinzas ou um esqueleto, e um nome ou nem sequer um nome; o nome, porém, é um ruído e um eco. Quanto às coisas, que no decorrer da existência gozam de elevado apreço, não passam de coisas vãs que se deterioram, insignificâncias, pequenos cães que se mordem, disputas vazias e sórdidas, crianças que riem para logo depois chorarem. No que se refere a confiança e boa-fé, o pudor, a justiça e a sinceridade retiraram-se "para o Olimpo se distanciando desta Terra de vastos caminhos".[16]

O que, afinal, te retém aqui, a considerar que os objetos dos sentidos mudam com facilidade e carecem de substância, que os órgãos dos sentidos são imprecisos e facilmente ficam desnorteados por força das falsas impressões, que o próprio pequeno sopro da vida é apenas uma exalação do sangue e que a glória junto aos homens é coisa vã? E o que fazer diante disso? Aguardarás com calma a extinção ou a transformação. E até chegar esse momento, te satisfarás com o quê? Ora, não será

---

15. Esta máxima parece evocar a *Odisseia*, de Homero (IV, 690).
16. Cf. Hesíodo, *Os trabalhos e os dias*, 197.

com outra coisa senão com a veneração dos deuses e render louvor a eles, fazer o bem aos seres humanos, suportá-los com perseverança e deles não se afastar; além disso, convém lembrares que tudo o que vês de externo inerente a tua carne ou a tua vida, que é um tênue sopro, não pertence a ti nem está subordinado a ti.

34. Sempre permaneces capacitado a nortear-te de maneira propícia, uma vez que podes tanto trilhar o bom caminho quanto ponderar e agir em conformidade com ele. Pode-se indicar duas coisas possíveis comuns a alma do deus, a do ser humano e a de todo ser vivo racional: não estar sujeita a barreiras criadas pelos outros, poder instalar o próprio bem em uma disposição e postura segundo a justiça, depositando aí o próprio desejo.

35. Se não se trata de minha maldade, de uma influência de minha maldade nem de um dano à comunidade, por que o contestar? E qual dano é possível produzir para a comunidade?

36. Não te deixes seduzir inteiramente pela imaginação, mas ajuda na medida de tua capacidade e com base no merecimento da pessoa ajudada; e se a pessoa sofreu um dano que envolve coisas medíocres, não imagines, todavia, que foi produzido um grave dano. Com efeito, temos esse mau hábito. {*Mas tu também, como aquele ancião que, ao partir, pedia o pião de seu escravo doméstico, de qualquer modo lembrando que não passava de um pião, deves agir da mesma maneira nas circunstâncias em pauta. Afinal, qual a razão de todo esse discurso na tribuna.*}[17] Ó homem, esqueceste o que era isso? – Sim, mas as pessoas o buscam com tanto ardor! – É um motivo para que sejas também um louco?

Eu me tornei, no passado, em qualquer lugar em que pudesse ser encontrado, alguém feliz. – Entretanto, alguém feliz é quem destinou a si próprio um bom lote; ora, um bom lote são as boas maneiras de ser da alma, os bons impulsos, as boas ações.

---

17. Todo este trecho em itálico e entre chaves, claramente desconexo, é espúrio.

LIVRO VI

1. A substância do universo é dócil e flexível. A razão que a controla não possui em si mesma motivo algum para fazer mal; com efeito, nada possui que seja mau, nem produz mal, nem causa dano a ninguém. É por meio dela que todas as coisas nascem e chegam ao fim.

2. Não faz diferença se estás com frio ou aquecido, desde que faças o que é apropriado; e se vais dormir ou se teu sono foi suficiente; e se ouves falarem mal de ti ou és elogiado; e se estás morrendo ou realizando outra coisa. Com efeito, esse ato de morrer é um dos atos que dizem respeito à vida; portanto, basta nele também executar bem aquilo que está presente.

3. Olha o interior. Não permitas que nem a qualidade característica de uma coisa nem seu valor te passem despercebidos.

4. Todas as coisas que se oferecem a teu olhar se transformam com máxima rapidez e evaporarão como incenso queimado, no caso de a substância assim o determinar, ou se dissiparão.

5. A razão que controla conhece de que maneira foi constituída, o que produz e sobre que espécie de matéria.

6. A melhor forma de se defender das pessoas hostis é não se tornar semelhante a elas.

7. Que o teu regozijo e o teu assentimento encontrem morada em uma única coisa, a saber, a transição de uma ação em prol da comunidade para outra ação em prol da comunidade, com o pensamento no divino.

8. A faculdade condutora é aquilo que desperta por si mesmo, dirige-se e constrói-se a si mesmo segundo sua vontade, fazendo que todo evento a ela apareça em conformidade com sua vontade.

9. É de acordo com a natureza do universo que todas as coisas se realizam e alcançam seu termo, e não, com efeito, de acordo com alguma outra natureza que positivamente envolvesse exteriormente o

universo, ou fosse por ele envolvida interiormente, ou fosse separada exteriormente.

10. Desordem, emaranhado e dispersão ou união, ordem e Providência. A considerar a primeira trilogia, por que desejaria eu demorar nessa confusão ditada pelo acaso? Por que teria outra preocupação senão a de descobrir como *um dia converter-me em terra*?[1] Que motivo teria para me transtornar com isso? De fato, independentemente do que faça, a dispersão me atingirá; a considerar, porém, a segunda trilogia, venero aquele que tudo governa e nele encontro firmeza e segurança.

11. Quando o império dos acontecimentos se abate sobre ti a ponto de ameaçar-te, volta-te depressa para o interior de ti mesmo e não te ausentes mais que o necessário da medida, pois serás mais controlador de tua harmonia se mais continuamente fizeres o caminho de volta a ela.

12. Caso tenhas simultaneamente uma madrasta e uma mãe, dispensarás cuidados à primeira, todavia é à tua mãe que retornarás constantemente. Com relação ao palácio e à filosofia, acontece o mesmo agora para ti; assim, volta frequentemente para esta última e nela procura conforto, pois é por meio dela que as coisas do palácio a ti parecerão suportáveis e que tu em meio a elas te farás suportável.

13. Do mesmo modo que se concebe a ideia do que são carnes e alimentos deste tipo dizendo, por exemplo, este é o cadáver de um peixe, aquele é o cadáver de uma ave, ou de um porco; e, por outro lado, referindo-se ao Falerno[2] como o mísero suco de um bago de uva; que *a toga pretexta*[3] é pelo de ovelha umedecido com sangue de um molusco; e referindo-se à relação sexual como a fricção de uma pequena víscera, e à ejaculação a excreção de um bocado de ranho acompanhada de certo espasmo, deves conceber o que se segue: conforme o exemplo dessas ideias, que atingem as coisas que lhes são pertinentes, penetram-nas e fazem ver aquilo que são, deves agir no desenrolar da totalidade de tua vida; e sempre que as coisas se mostrarem a ti demasiado merecedoras de confiança, põe essas coisas a nu, conscientiza a ti do escasso valor que

---

1. Cf. Homero, *Ilíada*, VII, 99 (parcial).
2. Vinho famoso, procedente da região de Falerno, na Campânia (Itália).
3. No original, "ἡ περιπόρφυρος" (*he peripórphyros*). A *toga praetextata* era uma vestimenta com bordado de púrpura, exclusiva da classe social superior de Roma.

têm e despoja-as da história que as envolve e que as torna dignas de tanto respeito. Com efeito, essa fumaça de respeitabilidade é terrivelmente enganadora; e é quando julgas estar dedicando o máximo de atenção às coisas sérias que se aproxima para te enfeitiçar ao máximo. Observa, a propósito, o que Crates diz do próprio Xenócrates.[4]

14. A maioria das coisas que despertam a admiração da multidão se reduz ao que há de mais geral e prosaico, às coisas que se mantêm em função de uma maneira de ser ou uma condição natural, quais sejam: pedras, madeira, figueiras, vinhas, oliveiras. Aquelas que despertam a admiração das pessoas um tanto mais moderadas são seres dotados de alma, dos quais constituem exemplo os animais que vivem em grandes ou pequenos rebanhos; as que despertam a admiração de indivíduos mais cultivados e polidos são seres detentores de alma racional, ainda que, entretanto, não de alma racional em caráter universal, mas daquela que os habilita para as artes, torna-os dotados de destreza de uma maneira distinta ou exclusivamente capazes de obter e possuir uma grande quantidade de escravos. O indivíduo, porém, que tem apreço pela alma universalmente racional e social, não se importa minimamente com as demais coisas; para ele, é prioridade em relação a tudo o mais proteger e manter com fidelidade sua própria alma, ocupando-a continuamente com o racional e o social, e ele contribui com o semelhante no sentido de alcançar isso.

15. Há as coisas que se apressam em ser, ao passo que outras se apressam em ter sido; e quanto à coisa que veio a ser, algo dela já se extinguiu. Fluxos e alterações restauram o mundo incessantemente, como a continuidade do tempo concede renovação perpétua à duração infinita. No que poderia alguém atentar nesse rio em que as coisas fluem, se a ninguém é facultado fixar o olhar em nenhuma delas? É como se alguém se enamorasse de algum pardalzinho que mal distendesse as asas junto a ele e já se furtasse a seu olhar. A propósito, a própria vida de cada um de nós é como a exalação do sangue e a aspiração do ar. De fato, aspirar uma vez o ar e logo expirá-lo, essa atividade que executamos a cada

---

[4]. Crates de Tebas (365 a.C.-285 a.C.), filósofo cínico da Grécia; Xenócrates, discípulo direto de Platão e colega de Aristóteles na Academia. Desconhecemos, contudo, o teor do comentário de Crates sobre Xenócrates.

momento, é idêntico a retornar ao manancial do qual hauriste esse ar inicialmente, a totalidade da faculdade respiratória que adquiriste ontem ou anteontem (muito recentemente), quando nasceste e de onde tiraste o primeiro alento.

16. Não é algo que mereça nosso apreço transpirar, como fazem as plantas, nem respirar, como fazem os animais de rebanho que pastam e, inclusive, os animais selvagens, nem ser impressionado pela imaginação, nem ser movido pelos próprios impulsos como se fosse uma marionete, nem se reunir em grupos, nem se nutrir; com efeito, isso é semelhante à eliminação dos excrementos resultantes dos alimentos. O que, então, merece apreço? Ser objeto de aplauso mediante o bater de palmas? Não! Não é, então, ser objeto de aplauso pela movimentação das línguas, visto que as palavras de encômio da multidão não passam de um bater de línguas. Com isso, jogaste fora também as pequenas glórias. O que sobrou que seria merecedor de apreço? Julgo que são as ações de se impulsionar e de se conter, regulando o próprio movimento e o próprio repouso, em conformidade com a própria constituição, meta a que conduzem igualmente os estudos e as artes. Toda arte, de fato, visa isso, nomeadamente que esta ou aquela constituição se ajuste apropriadamente à obra para a qual foi constituída. O cultivador do vinhedo, o domador de potros e o adestrador de cães buscam isso. A instrução infantil e o ensino empenham-se no mesmo sentido. Eis o que merece apreço. Se tiveres êxito na conquista dessa meta, tu te pouparás com referência às outras coisas. Não cessarás de conceder apreço, ademais, a muitas outras coisas? Resultado: não serás livre, nem autossuficiente, nem destituído de paixão. Inevitável, com efeito, que venhas a sentir inveja, rivalizar e experimentar receio com relação às pessoas capazes de tirar de ti aquilo pelo que tens apreço e de tramar contra ti por causa dessa tua posse. Em síntese, é inevitável que aquele que fica carente das coisas pelas quais tem apreço se torne transtornado e, ademais, culpe de muitas formas os deuses. Entretanto, o respeito e o apreço de teu próprio pensamento te tornarão alguém que satisfaz a si mesmo, em harmonia com os seres humanos e com os deuses, isto é, alguém que oferece seu assentimento ao lote que lhe coube como distribuído e disposto.

17. Os movimentos dos elementos são para cima, para baixo e circulares. O movimento da virtude, entretanto, não se dá em nenhum

desses sentidos, mas é algo mais divino, e adiantando-se por uma senda que é difícil concebermos abre caminho facilmente.

18. Quão estranhas são as ações [dos seres humanos]! Eles não se predispõem a acolher com louvor as pessoas que com eles mesmos convivem na mesma época; contudo, atribuem muita importância a serem eles mesmos objeto de louvor daqueles que nascerão posteriormente, gente que jamais viram ou verão. Isso parece como se devesses ser objeto de pena pelo fato de que aqueles que nasceram antes não fizeram para ti discursos de louvor.

19. Se tu mesmo não consegues com teu esforço realizar algo, não penses ser isso impossível para o ser humano; se, entretanto, algo é possível ao ser humano e lhe é próprio, pensa que isso a ti também é acessível.

20. Imagina que na ginástica alguém te dilacerou com suas unhas e, partindo tua cabeça, produziu um ferimento. Esse incidente, porém, não nos leva a expressar sinais de aborrecimento; tampouco nos sentimos ofendidos nem mais tarde suspeitamos ser essa pessoa um indivíduo insidioso; todavia, ficamos de guarda em relação a ela, embora, no entanto, não como um inimigo nem dela suspeitando: amavelmente nos esquivamos dela. Que seja assim a tua conduta nos demais departamentos da vida; vamos ignorar muitas atitudes daqueles que são como se fossem antagonistas com os quais convivemos no ginásio. Com efeito, como eu disse, está ao nosso alcance nos esquivarmos e não alimentarmos suspeita nem ódio.

21. Se alguém é capaz de me convencer e me evidenciar que o que penso ou faço não é correto, será com contentamento que me corrigirei; afinal, procuro a verdade, a qual jamais causou danos a alguém. Aquele, porém, que persevera no engano e na ignorância causa danos a si mesmo.

22. Eu faço o que constitui meu dever; não dou atenção às demais coisas, pois ou são coisas inanimadas, ou coisas irracionais, ou indivíduos desnorteados e que desconhecem seu caminho.

23. Quanto a animais irracionais e a coisas e objetos em geral, utiliza-os com nobreza e generosidade, uma vez que possuis razão e eles não; contudo, quanto aos seres humanos, visto que possuem razão, aja com espírito comunitário. Invoca sempre os deuses e não te transtornes com a quantidade de tempo dessa tua prática, pois três horas nisso bastam.

24. Alexandre da Macedônia e seu arreeiro foram reduzidos à mesma condição pela morte; com efeito, ou foram acolhidos nos mesmos princípios seminais do mundo, ou igualmente dispersos nos átomos.

25. Reflete sobre a quantidade de coisas que, em um minúsculo átimo, sucede a cada um de nós, ao mesmo tempo, igualmente no corpo e na alma; assim, não é o caso de te espantares se uma quantidade muito maior de coisas ou, antes, se todas as coisas que sucedem coexistem simultaneamente nesse conjunto único que chamamos de mundo.

26. Caso alguém te indague como se escreve o nome Antonino, não te empenharás maximamente em apresentar cada uma das letras dessa palavra? Assim, se ficam irritados contigo, devolverás, de tua parte, a irritação? Não farás a enumeração de todos os caracteres de maneira branda e tranquila? De idêntico modo, então, lembra-te que aqui, ou seja, na esfera da conduta, tudo se consuma mediante certo número de deveres. É preciso cumpri-los sem ficar confuso nem se desentender com aqueles que se desentendem, levando a cabo metodicamente aquilo que foi proposto.

27. Como é desumano impedir que as pessoas se voltem para aquelas coisas que a elas se mostram como algo que lhes é próprio e vantajoso! Entretanto, de alguma maneira, não consentes que as realizem no momento em que te irritas com os erros que cometem. De fato, absolutamente se voltam para aquilo que lhes é próprio e vantajoso, mesmo incluindo os erros. – Mas não é assim. – Pois, então, lhes instrua acerca disso e lhes mostre sem te irritares.

28. A morte é a cessação das imagens que nos vêm dos sentidos, daquilo que nos impulsiona como marionetes, daquilo que emerge da inteligência e do serviço que prestamos à carne.

29. Na vida em que teu corpo não se deixa abater, é vergonhoso que nela tua alma se deixe abater antecipando-se a ele.

30. *Atenta para* não *te converteres em um César, para* não *te tingir com essa cor;*[5] com efeito, é o que acontece. Desse modo, vigia para te conservares simples, bom, íntegro, digno, sem afetação, amante da justiça,

---

5. No original, "Ὅρα, μὴ ἀποκαισαρωθῇς, μὴ βαφῇς." (*Hóra, mè apokaisarothêis, mè baphêis*). Embora imperador, Marco Aurélio reprova os atos extremos de César e de certos césares que o sucederam.

devoto dos deuses, benevolente, terno com teus familiares, firme com referência à prática do que é decente. Luta para permaneceres aquilo que a filosofia quis fazer de ti. Presta reverência aos deuses e assistência aos seres humanos para sua preservação. A vida é curta. O único fruto a ser colhido da existência sobre a Terra é uma disposição religiosa e as ações em favor da comunidade. Age no tocante a tudo *como discípulo de Antonino*.[6] Tem em mente seu empenho visando uma conduta em conformidade com a razão, seu espírito de igualdade em todas as situações, sua religiosidade, a serenidade de seu semblante, sua doçura, sua indiferença quanto às glórias vãs e quão cioso ele era no sentido de compreender profundamente os negócios em pauta. Pensa também em como ele se negava, absolutamente, a deixar passar qualquer coisa sem submetê-la a um exame meticuloso e entendê-la claramente; em como tolerava ser alvo de reprovações injustas sem revidar, de sua parte, com reprovações; em como cuidava das coisas sem precipitação; em como não dava acolhida a falsas acusações; em como investigava com precisão as disposições de caráter das pessoas e suas ações; em como não insultava as pessoas, não se amedrontava facilmente, não era suspeitoso, não se dava ares de um sofista; em como se satisfazia com pouco, por exemplo, com sua habitação, seu leito, suas roupas, sua alimentação, o atendimento dos serviçais; em como era amante do trabalho e paciente, do que era exemplo se manter em uma mesma ocupação até o anoitecer, isso por conta de seus hábitos de vida, dispensando-o da evacuação dos excrementos fora da hora costumeira; em como era constante e sempre o mesmo no que tocava a suas amizades, tolerante com as pessoas que com franqueza contestavam seus pontos de vista, alegre com aquelas que lhe mostravam um caminho melhor; em como era devoto dos deuses sem incorrer em superstição. Pondera em tudo isso para que o teu momento final te encontre com uma consciência tão pura quanto a dele.

31. Volta ao teu juízo e exorta a ti mesmo. E uma vez egresso de teu sono, compreende que foram teus sonhos a causa de tua perturbação; e uma vez desperto, observa as coisas como as observava anteriormente.

32. Eu sou um precário corpo e uma alma. A respeito desse precário corpo, tudo é indiferente visto ser ele incapaz de distinguir qualquer

---

6. No original, "ὡς Ἀντωνίνου μαθητής" (*hos Antonínoy mathetés*).

coisa. No que toca a *inteligência*,⁷ tudo aquilo que não pertence a sua atividade lhe é indiferente. Entretanto, tudo aquilo que pertence a sua atividade está sob sua dependência. Contudo, para ela só a atividade presente vale a pena; com efeito, suas atividades futuras ou passadas lhe são nesse instante indiferentes.

33. Nem o trabalho da mão nem o do pé contrariam a natureza na medida em que o pé executa somente o que cabe ao pé e a mão apenas o que cabe à mão. Igualmente o ser humano, como ser humano, não executa o trabalho contrário à natureza na medida em que executa o que cabe ao ser humano. E, a considerar que não é contrário a sua natureza, tampouco constitui para si um mal.

34. Quão grandes prazeres experimentaram bandidos, devassos, parricidas, tiranos!

35. Não vês como os artesãos ordinários, mesmo se ajustando até certo ponto aos indivíduos ignorantes da arte, nem por isso, entretanto, são desapegados do fundamento de sua arte e não suportam deixar de nela persistir? Não é espantoso o arquiteto e o médico atribuírem maior respeito cada um ao fundamento de sua arte em particular do que o ser humano ao que lhe é próprio, algo que lhe é comum com os deuses?

36. A Ásia e a Europa são cantos do mundo; todo mar é uma gota do mundo; Atos⁸ é um pequeno torrão do mundo; todo o tempo atual é um ponto da eternidade. Todas as coisas são pequenas, inconstantes, fadadas ao desaparecimento. Tudo provém daí, a partir desse impulso hegemônico comum, mediante um processo direto ou por sucessão. E em decorrência disso a boca escancarada do leão, *o danoso*,⁹ e toda maldade, como um espinho, como um lodo, são produtos secundários das coisas grandiosas, belas ou nobres. Portanto, não imagines que são de um tipo distinto daquilo que é objeto de tua veneração; deverias, ao contrário, atentar para a fonte de tudo.

37. Viu todas as coisas aquele que viu o agora, inclusive todas as coisas que ocorreram desde toda a eternidade, bem como todas as coisas

---

7. No original, "διανοίᾳ" (*dianoíai*). Significa mente, embora seja melhor entender como alma, já que Marco Aurélio distingue alma de inteligência.
8. Monte situado entre a Macedônia e a Trácia, ao norte do mar Egeu (Grécia).
9. No original, "τὸ δηλητήριον" (*tò deletérion*). Também pode ser traduzido como "o venenoso".

que serão no infinito do tempo; com efeito, tudo tem idêntica origem e é completamente semelhante.

38. Medita frequentemente sobre a união de todas as coisas no mundo e sobre sua relação mútua. De certa maneira, com efeito, estão todas entrelaçadas entre si, sendo todas, em função disso, amigas entre si; e a consequência é estar uma encadeada à outra; isso ocorre por causa do movimento tenso, o sopro comum e a unificação da substância.

39. Ajusta-te às coisas que te foram destinadas pela sorte; e ama, mas verdadeiramente, as pessoas que o destino a ti apontou para a convivência.

40. Todo instrumento, ferramenta ou utensílio, se atinge o objetivo de sua produção, cumpre bem seu papel; e, entretanto, quem o produziu está distante. Contudo, no que se refere às coisas que a natureza mantém unidas, o poder que as produziu está no interior delas e nelas habita, de tal modo que é conveniente começar por reverenciá-lo e pensar que, se te conduzes conforme o desígnio que lhe é próprio, tudo em ti conforma-se à inteligência. Algo idêntico ocorre no universo: aquilo que a ele pertence conforma-se também à inteligência.

41. É inevitável, quanto a qualquer coisa que não tenha tido como base tua prévia escolha e que consideras um bem ou um mal, no caso de ser atingido por este último ou não conseguires o primeiro, que venhas a culpar os deuses, dirigir ódio aos seres humanos, alimentando a suspeita de que são os causadores do acidente que te atingiu ou da não consecução daquele bem; nós, inclusive, cometemos muitas injustiças pelo fato de, em relação a essas coisas, fazermos tal distinção. Se, porém, julgarmos somente como bens e males aquilo que está sob nosso controle, não haverá motivo para acusar os deuses nem para se colocar, com relação aos seres humanos, em uma postura hostil.

42. Todos nós colaboramos para uma realização única, alguns estão cientes disso e têm inteligência, ao passo que outros não percebem. Suponho que foi Heráclito que disse que, até aqueles que dormem, trabalham e auxiliam no que se produz no mundo.[10] As pessoas colaboram de modos diferentes, e devemos adicionar inclusive aquelas que proferem queixumes e aquelas que tentam se opor aos acontecimentos

---

10. Cf. Heráclito, fragmento 75, Diels.

e eliminá-los. O mundo, com efeito, necessita também desse tipo de pessoa. O que resta agora saber é em qual dessas categorias de colaboradores pensas te posicionar. De uma maneira ou outra, o regente do universo saberá utilizar-te bem e posicionar-te, como parcela do universo, entre seus auxiliares e colaboradores. Tu, porém, de tua parte, não ocupes essa posição como no verso vulgar e ridículo presente no drama evocado por Crísipo.[11]

43. O sol se julga no direito de atuar no lugar da chuva? Asclépio no direito de atuar no lugar *da produtora de frutos*?[12] E quanto a cada um dos astros, não são diferentes, embora auxiliares na consecução de um mesmo fim?

44. Se no que toca a mim e àquilo que deve acontecer comigo houve da parte dos deuses uma deliberação, eles deliberaram bem; com efeito, não é fácil conceber um deus destituído de reflexão; quanto a me fazer o mal, qual o motivo de terem algum desejo nesse sentido? Afinal, que proveito disso tirariam para si ou para a comunidade que é, sobretudo, o objeto de sua providência? Mas se não deliberaram no que diz respeito a mim individualmente, deliberaram sem dúvida no que toca, ao menos, à comunidade, e quanto às coisas que ocorrem mediante um processo de sucessão nessa organização geral, que inclui o que a mim acontece, de modo que devem ser aceitas por mim com alegria e contentamento. Na hipótese, porém, de não deliberarem sobre nada (crença que a religião condena), ao acreditarmos nisso, não sacrifiquemos, nem oremos, nem juremos em nome deles, nem façamos quaisquer outras coisas que fazemos como se os deuses estivessem presentes e conosco convivessem; se os deuses não deliberam acerca de nada que nos diz respeito, posso deliberar sobre mim; inquirir sobre o que me é útil; útil, inclusive, a cada pessoa que se conforma a sua formação e natureza; minha natureza, porém, é racional e social; meu Estado e minha pátria, enquanto um

---

11. Crísipo (280 a.C.-207 a.C.) foi um filósofo estoico grego. Em *De Communibus Notitiis*, c. xiv, Plutarco cita Crísipo, que afirma: "como as comédias às vezes encerram versos ridículos e gracejos, em si negativos, mas que nem por isso furtam uma certa graça à obra inteira, o vício, por mais condenável que seja como vício, nem por isso é menos útil sob diferentes aspectos". Entretanto, ignoramos que verso é esse.

12. No original, "τῆς Καρποφόρου" (*tês Karpophóroy*). Trata-se da olímpica Deméter, deusa da fertilidade da terra e da agricultura, chamada Ceres pelos romanos.

Antonino, são Roma, enquanto ser humano, são o mundo. Portanto, as coisas proveitosas a esses Estados são para mim os únicos bens.

45. Tudo o que acontece a cada um é vantajoso para o universo; basta isso. Mas, ademais, tu verás que em geral, se o observares de mais perto, tudo aquilo que é vantajoso para uma pessoa mostra-se vantajoso também para as outras. Deve-se tomar neste momento o termo *vantajoso*[13] na sua acepção mais comum, com referência às coisas neutras ou indiferentes.

46. Como te cansaste dos espetáculos do anfiteatro e de outros lugares semelhantes a ele, na medida em que o que se vê nesses lugares é sempre o mesmo e essa mesmice do espetáculo o torna tedioso, sentes algo idêntico com relação ao conjunto da vida; de fato, em tudo, acima e abaixo, as coisas são as mesmas e provêm de causas idênticas. Isto, então, até quando?

47. Não pares de ponderar acerca de quantas pessoas de toda espécie, das mais variadas ocupações, de todas as raças, estão mortas. Remonta até Filístion, Febo, Origánion.[14] Passa agora para as demais raças. É necessário, então, que nos desloquemos para os lugares onde são encontrados tantos oradores extraordinários, tantos filósofos ilustres, Heráclito, Pitágoras,[15] Sócrates, tantos heróis que os antecederam e tantos generais e tiranos que surgiram posteriormente a eles; em seguida, devem ser adicionados Eudoxo, Hiparco, Arquimedes[16] e outras naturezas argutas, dotadas de sentimentos elevados, amantes do trabalho, gente habilidosa, bem como tanta gente arrogante que se dispôs a zombar desta vida humana efêmera e mortal, do que são exemplos Menipo[17] e todos os demais a ele similares. Pensa, com referência a todos eles, que seu desenlace ocorreu há muito tempo. O que há de maléfico nisso para eles? Inclusive para aqueles cujos nomes não são absolutamente mencionados? Na condição em que nos encontramos aqui, apenas uma coisa é merecedora

---

13. No original, "συμφέρον" (*symphéron*).
14. Pairam dúvidas sobre este Filístion; provavelmente, é um comediógrafo contemporâneo de Sócrates. Não dispomos de dados sobre Febo e Origánion.
15. Pitágoras de Samos (582 a.C.-?507 a.C.) foi um matemático, filósofo e místico grego.
16. Eudoxo foi discípulo de Platão. O nome Hiparco refere-se a mais de uma personalidade importante no mundo helênico, mas a alusão parece ser a Hiparco de Niceia ou Bitínia, matemático e astrônomo grego que floresceu no século II a.C. e atuou em Alexandria (Egito). Arquimedes de Siracusa (287 a.C.-212 a.C.) foi um matemático grego, natural da Sicília (Itália).
17. Trata-se de Menipo de Gadara (300 a.C.-260 a.C.), um filósofo cínico da Grécia.

de elevado apreço: viver com a verdade e a justiça e, ao mesmo tempo, agir com benevolência diante de mentirosos e injustos.

48. Quando quiseres regozijar-te, pensa nos méritos das pessoas que convivem contigo, se esta é ativa e diligente, se aquela é discreta, se uma terceira é capaz de compartilhar voluntariamente, dispondo-te a prosseguir com outros detentores de distintos méritos. Nada, com efeito, traz tanta alegria quanto as imagens das virtudes exibidas no caráter daqueles que convivem conosco, na medida do possível congregadas copiosamente. Eis a razão de mantê-las diante de nós.

49. Estás descontente porque pesas uma pequena quantidade de libras e não trezentas? Continua descontente porque deves viver um modesto número de anos e não mais, pois, como te contentas com a parcela de substância delimitada para ti, deves contentar-te com tua modesta parcela de tempo.

50. Esforça-te na tentativa de persuadi-los. Age, contudo, inclusive contra a vontade deles, quando o fundamento inerente à justiça conduzir-te a isso. Se, entretanto, há alguém a se servir da força para se opor a ti, muda para a amabilidade e uma atitude completamente inofensiva e constrói outra virtude com base nesse obstáculo; e recorda-te de que não te pões em ação ardentemente sem admitires tuas exceções e que não tens em vista coisas impossíveis. Afinal, o que tens em vista? Esforçar-te para impulsionar-te de algum modo nesse sentido. Ora, isso tu o fizeste e aquilo que fomentamos acaba acontecendo.

51. Para o amante da glória, a atividade alheia é seu próprio bem; para o amante do prazer, suas sensações e inclinações; mas para o possuidor do entendimento, o bem são suas ações.

52. Para mim é possível, sobre este assunto, não ter nenhum ponto de vista e não submeter minha alma a um tormento. Com efeito, as coisas, por si mesmas, não contêm uma natureza criadora de nossos julgamentos.

53. Acostuma-te a ouvir com atenção o que outra pessoa fala e, na medida do possível, procura ter acesso à alma daquele que fala.

54. *Aquilo que não traz utilidade ao enxame, tampouco é útil à abelha.*[18]

---

18. No original, "Τὸ τῷ σμήνει μὴ συμφέρον, οὐδὲ τῇ μελίσσῃ συμφέρει." (*Tò tôi sménei mè symphéron, oydè têi melísse symphérei*). Isto é, o que não é útil à comunidade não é útil ao indivíduo, ou, em termos positivos, o bem da comunidade resulta no bem do indivíduo.

55. Se os marujos lançam insultos ao piloto, ou se os enfermos os lançam ao médico, haverá da parte dos insultados outro cuidado senão, respectivamente, o de garantir a preservação da tripulação e a saúde dos pacientes tratados?

56. Quantos daqueles com os quais ingressei no mundo deste já se foram!

57. O mel parece amargo para aqueles que têm icterícia; a água amedronta aqueles que foram mordidos por um animal com raiva; e para as crianças a bola é boa e bela. Então, por que fico irado? Ou pensas que uma falsidade tem menos força que a bile no indivíduo com icterícia ou o veneno naquele mordido por um animal com raiva?

58. Ninguém te impedirá de viver segundo as diretrizes da razão de tua natureza; nada te acontecerá que se oponha à razão da natureza comum.

59. Quem são estes que as pessoas desejam agradar, e em função de quais proveitos e diante de quais atos? Quão rapidamente o tempo a tudo isso cobrirá e quanto já não cobriu!

LIVRO VII

1. O que é a maldade? – É algo que tens visto com frequência. No que toca a tudo o que ocorre, isso fácil e automaticamente se apresenta a ti: é algo que tens visto com frequência. Em resumo, acima e abaixo, descobrirás as mesmas coisas que as narrativas encerram copiosamente, as narrativas antigas, as modernas e as muito recentes; e que as cidades e as casas também encerram na atualidade profusamente. Nada de novo: tudo é costumeiro e transitório.

2. Os princípios não poderiam se tornar mortos, exceto se fossem extintas as ideias que lhes correspondem. Bem, cabe a ti reacendê-las continuamente. Com referência a isso, tenho o poder de conceber a ideia que falta e se faz necessária. E se tenho esse poder, por que me inquietar? As coisas exteriores a minha inteligência nada são para minha inteligência. Basta que compreendas isso para estar certo. Para ti, é possível reviver. Volta a observar aquilo que viste; com efeito, isso é o reviver.

3. A busca fútil por desfile triunfal, os dramas nos palcos dos teatros, os rebanhos de carneiros e ovelhas, os rebanhos de animais a pastar, os combates com lança, um osso jogado aos cãezinhos, um bocado de pão aos reservatórios de peixes, os trabalhos fatigantes das formigas e seu carregamento de fardos, a corrida rápida de pequenos camundongos amedrontados, as marionetes puxadas por cordões: tudo isso guarda certa semelhança. Tens, então, o dever, em meio a todos esses fatos, de manifestar benevolência e não orgulho; deves compreender, todavia, que cada pessoa vale tanto quanto valem as coisas que são objeto de sua ocupação.

4. É indispensável ter compreensão, atentando para cada palavra, daquilo que se diz, e sobre cada ação, deve-se ter compreensão do seu efeito. Nesse caso, é necessário ver diretamente a relação do ponto de vista de sua meta, ou melhor, a qual meta a ação se relaciona; quanto ao outro caso, é preciso observar o significado das palavras.

5. Ou uma coisa, ou outra: com referência a isso, minha inteligência basta ou não? Se basta, eu a utilizo no que diz respeito a isso, que é um trabalho, na qualidade de um instrumento que recebi da natureza universal. Porém, se não basta, ou abro mão desse trabalho a favor de alguém mais qualificado e capacitado para se encarregar dele, particularmente se não for para mim um dever, ou o realizo na medida de minha capacidade, somando-me ao auxiliar capacitado e recorrendo a minha faculdade condutora para fazer aquilo que é de momento oportuno e útil à comunidade. De fato, o que executo por mim mesmo ou com a ajuda alheia deve assim concorrer apenas para um objetivo, a saber, aquilo que é útil e que atende adequadamente ao bem comum.

6. Quantas pessoas que se tornaram célebres no passado já foram condenadas ao esquecimento; quantas que lhes concederam essa celebridade há muito tempo pereceram!

7. Não te envergonhes de receber ajuda, uma vez que cabe a ti assumir teu dever como um soldado que combate nos muros de uma cidade. Nesse caso, na hipótese de seres coxo, como seria possível para ti, sem o auxílio alheio, escalar os muros sozinho?

8. Não te inquietes com as coisas futuras; com efeito, se houver necessidade, tu as encararás de posse da mesma razão que agora empregas com os problemas atuais.

9. Há um entrelaçamento mútuo de todas as coisas, e sua união é sagrada, sendo que entre elas não existe quase nenhuma que seja estranha a outra. Com efeito, foram dispostas em conjunto e contribuem em conjunto em favor do mesmo mundo. Existe, com efeito, um só mundo ordenado que abrange tudo, uma só Divindade engloba tudo, uma única substância, uma só lei, uma só razão comum a todos os seres vivos inteligentes e uma única verdade; com efeito, os seres vivos de gênero idêntico também contam com uma única perfeição e participam de uma mesma razão.

10. Tudo o que é material desaparece com máxima velocidade na substância do universo; ademais, toda causa é com máxima velocidade acolhida na razão do universo; e toda memória é com máxima rapidez coberta pelo tempo.

11. No que diz respeito ao ser vivo racional, a mesma ação que se conforma com a natureza está também em conformidade com a razão.

12. Correto, ou corrigido.

13. Como ocorre com os membros do corpo, as entidades racionais são constituídas, segundo o prisma da analogia, para contribuírem, de certo modo, para uma ação em conjunto. Captarás melhor esse pensamento se frequentemente disseres a ti mesmo o seguinte: "Eu sou *membro*[1] do sistema racional". Se, todavia, disseres (*mediante a letra rhô*)[2] que és *parte*[3] dele, significa que não amas ainda de coração os seres humanos; tua alegria em beneficiá-los ainda é incompleta, e se buscas beneficiar unicamente como uma conveniência, algo apropriado, a conclusão é que não fazes ainda o bem como o farias a ti mesmo.

14. O que quer que aconteça de fonte externa às partes de mim suscetíveis de serem afetadas por esse acontecimento! As que forem afetadas, com efeito, se assim o quiserem, vão se lamentar. Quanto a mim, se não concebo o acidente como um mal, continuo a não sofrer nenhum dano por conta dele. Afinal, de mim depende não o conceber como tal.

15. Independentemente do que se faça ou o que se diga, devo ser bom, como se o ouro, ou a esmeralda, ou a púrpura não cessassem de dizer: não importa o que se faça ou se diga, devo ser esmeralda e conservar minha cor.

16. Minha faculdade condutora não causa perturbação a si mesma, quero dizer, não se deixa tomar pelo medo, não mergulha *nos apetites*.[4] Se, entretanto, alguma outra pode causar-lhe medo ou angústia, que assim seja. Com efeito, por si própria e mediante a inteligência, essa faculdade não molda maneiras de ser semelhantes.

É o corpo, em sua precariedade, que deve, se tiver poder para tanto, preocupar-se em não sofrer, e se sofre que o diga. Todavia, a alma, em sua precariedade, atingida pelo medo e pela angústia, mas que compreende absolutamente o que experimenta, dispensa o sofrimento, pois é de tal forma constituída que é poupada daquele julgamento.

---

1. No original, "μέλος" (*mélos*).
2. No original, "διὰ τοῦ ῥῶ στοιχείου" (*dià toŷ rhô stoikheíoy*). Registrado por Ioannes Stich entre colchetes.
3. No original, "μέρος" (*méros*).
4. No original, "εἰς ἐπιθυμίαν" (*eis epithymían*). No entanto, a imediata sequência sugere que é "λυπῆσαι" (*lypêsai*), que significa dor, angústia.

A faculdade condutora é, por si mesma, autossuficiente, salvo se criar para si mesma uma insuficiência, e disso resulta ser ela imperturbável e livre, se não se perturbar e barrar a si mesma.

17. A felicidade é dispor de uma boa divindade tutelar ou de uma boa faculdade condutora. *Portanto, o que fazes aqui, ó imaginação?*[5] Pelos deuses, vai embora, retorna para o lugar de onde vieste! Não preciso de ti. Foi segundo teu antigo costume que vieste. Não estou irritado contigo. Apenas vai embora.

18. Temerá alguém a mudança? Ora, o que pode vir a ser dissociado da mudança? O que é mais agradável ou mais próprio à natureza do universo? Podes banhar-te sem que a madeira sofra uma mudança? Podes ser nutrido sem que o alimento sofra uma mudança? É possível qualquer outra coisa útil ser realizada sem mudança? Não percebes que mudar é para ti o mesmo, bem como igualmente necessário à natureza do universo?

19. Por meio da substância do universo, como se fosse por meio de uma torrente, são transportados todos os corpos, que em união com o universo são colaboradores dele, como nossos membros são mútuos colaboradores.

Quantos Crísipos, quantos Sócrates, quantos Epictetos o tempo já tragou! No tocante a todas as pessoas e a todas as coisas, acolhe sempre esse pensamento.

20. Uma só coisa me desconcentra e me incomoda: é eu fazer algo que a constituição humana não quer ou fazer como ela não quer, ou como atualmente ela não quer.

21. Em breve, tu terás esquecido tudo; em breve tudo terá te esquecido.

22. É característica do ser humano amar, inclusive, aqueles que fazem dele objeto de ofensa. Realizarás isso se representares em tua mente os ofensores como teus parentes e semelhantes, que seu erro se dá em razão da ignorância e do involuntário, que em pouco tempo ambos (os que não ofendem e os que ofendem) estarão mortos e, acima de tudo, que não terão prejudicado a ti, pois não vão ter tornado tua faculdade condutora pior do que era antes.

---

5. No original, "Τί οὖν ὧδε ποιεῖς, ὢ φαντασία;" (*Tí oŷn hôde poieîs, ô phantasía;*).

23. Da substância do universo, a natureza do universo, à semelhança da cera, agora molda um potro, cuja matéria, quando decomposta, é empregada para compor uma árvore; em seguida uma *criança*;[6] em seguida outras coisas; mas cada uma dessas coisas perdura o mínimo. Entretanto, na dissolução do *pequeno vaso*,[7] nada há de temível, como nada houve em sua composição.

24. A fisionomia marcada pelo ressentimento contraria a natureza extremamente e, se expõe com frequência esse aspecto, faz sua beleza perecer nesse processo, findando por extingui-la, sendo inteiramente impossível reacendê-la. Esforça-te, acompanhando atentamente esse raciocínio, por concluir e compreender que isso contraria a razão. Com efeito, se for perdida a consciência de nossos erros, que razão haverá ainda para viver?

25. Todas as coisas que vês, por serem transitórias, são transformadas pela natureza, governante do universo, e esta as transforma, sendo que, da substância dessas coisas, ela produzirá outras coisas e, da substância destas últimas, ainda outras, para que o mundo esteja em perpétua renovação.

26. Sempre que alguém cometer uma falta contra ti, considera de imediato qual sua concepção de bem ou mal responsável pelo cometimento da falta. De fato, no momento em que estiveres ciente de qual é, não te surpreenderás nem te encolerizarás. Com efeito, se conceberes o bem ou outra coisa que lhe seja semelhante do mesmo modo que esse alguém concebe, precisarás perdoá-lo. Se, entretanto, tua concepção de bem e mal não for idêntica à dele, mais facilmente exibirás benevolência diante de sua ignorância.

27. Não consideres como estando presentes as coisas ausentes; em lugar disso, diante das coisas presentes, avalia as mais propícias, lembrando, ademais, com que alegria empreenderias a busca delas, se não estivessem presentes. Todavia, ao mesmo tempo, vigia para não te comprazeres demasiado com elas, a ponto de com o tempo superestimá-las: o resultado seria sua eventual falta causar-te perturbação.

---

6. No original, "ἀνθρωπάριον" (*anthropárion*). Em tradução literal, "*pequeno ser humano*".
7. No original, "κιβωτίῳ" (*kibotíoi*).

28. Recolhe-te em ti mesmo. O princípio racional dirigente possui uma natureza que lhe traz satisfação própria quando sua ação é justa, com isso mantendo a serenidade.

29. Apaga a imaginação. Imobiliza a movimentação dos cordões. Circunscreve-te ao tempo presente. Aprende a conhecer o que acontece a ti ou aos outros. Discerne e decompõe no que serve de fundamento às coisas o causal e o material. Pensa na hora derradeira. Que o erro cometido por alguém permaneça onde foi cometido.

30. Compara o pensamento com as palavras que o expressam. Infiltra-te mentalmente nos efeitos e nas causas.

31. Torna manifestos em ti a simplicidade, o sentimento de honra e a indiferença em relação àquilo que se encontra a meio caminho entre a virtude e o vício. Dedica amor à espécie humana. Deixa-te orientar pela Divindade.[8] Alguém[9] diz que tudo é convenção, apenas os elementos são divinos. Que se lembre, e é o bastante, de que todas as coisas dependem de convenções; as exceções existem em uma quantidade extremamente pequena.

32. A respeito da morte: ou é uma dispersão, na hipótese de tudo o que existe serem átomos, ou é uma extinção ou transformação, na hipótese de uma redução à unidade.

33. A respeito da dor: o insuportável extermina, o que é muito duradouro é suportável; a se somar a isso, a inteligência, por meio de detenção, mantém cuidadosamente sua própria tranquilidade, com o que não torna pior a faculdade condutora. Com relação às partes às quais a dor causa dano, que explicitamente o contestem se puderem fazê-lo.

34. A respeito do prestígio: observa os pensamentos daqueles que o buscam, o que são e as coisas às quais se furtam e aquelas a que perseguem. Considera, ademais, que como os montes de areia depositados

---

8. No original, "θεῷ" (theôi). Evitamos traduzir por "Deus", porque não existe na doutrina estoica uma noção de deus idêntica à do judaísmo ou do cristianismo, a despeito das claras semelhanças entre a ética estoica e a cristã. Para os estoicos, o universo é regido pela alma do mundo (natureza), e a devoção religiosa está vinculada às divindades tutelares e aos deuses. A noção de deus dos estoicos é a de um poder divino *imanente* e não *transcendente*, uma forma de panteísmo, ou seja, uma concepção de que a Divindade e o Universo (o todo) se confundem e se identificam; ademais, essa Divindade, além de imanente, é emanente, sendo precisamente os deuses as suas emanações.

9. Trata-se de Demócrito, mas a citação não é textual.

uns sobre os outros ocultam as areias anteriores, do mesmo modo, na vida as coisas que acontecem antes são rapidamente cobertas por aquelas que acontecem depois.

35. [De Platão]: "E um intelecto acostumado a pensamentos grandiosos e à especulação da totalidade do tempo e do ser, achas que ele considera a vida humana algo importante? Impossível, ele disse. Então não considera a morte algo terrível? O menos possível".[10]

36. [De Antístenes]: "Constitui algo digno de um rei fazer o bem e, no entanto, ser alvo de maledicência".[11]

37. É vergonhoso o semblante submeter-se, configurar-se e ordenar-se como manda o pensamento, quando este é incapaz de conceder uma configuração e uma ordem a si mesmo.

38. "De fato, não há necessidade de irritar-se com as coisas, uma vez que elas não se preocupam com isso."[12]

39. "Que possas proporcionar alegrias aos deuses imortais e a nós!"[13]

40. "Faz a colheita da vida como de uma espiga repleta de grãos. E que uma prossiga existindo, mas não a outra!"[14]

41. "Se eu e meus filhos somos negligenciados pelos deuses, também isso tem sua razão."[15]

42. "O bem e a justiça fazem-me companhia."[16]

43. Não se unir nos lamentos nem se unir nas agitações.

44. [Pensamentos de Platão]: "De minha parte, teria para essa pessoa uma resposta justa: o que dizes não é correto, senhor, se crês que um homem que tenha alguma serventia, mesmo que seja pequena, deve levar em conta o risco de vida ou de morte, em vez de apenas observar, ao agir, se suas ações são justas ou injustas, e de um homem bom ou de um homem mau".[17]

---

10. Platão, *A República*, Livro VI, 486a-b.
11. Antístenes de Atenas (440 a.C.-365 a.C.) foi um filósofo cínico grego. A fonte desta máxima é Epicteto, no *Encheiridion*, redigido por Flavius Arrianus.
12. Eurípides, *Belerofonte*, fragmento 287, Nauck. Eurípides de Salamina (?480 a.C.-406 a.C.) foi um poeta trágico grego.
13. O autor desta passagem nos é desconhecido.
14. Eurípides, *Hipsipile*, fragmento 757, Nauck.
15. Eurípides, fragmento 208, Nauck.
16. Aristófanes, *Acarnianas*, 661.
17. Platão, *Apologia de Sócrates*, 28b.

45. "Com efeito, esta é, homens de Atenas, a verdade, a saber, onde quer que alguém tenha assumido uma posição, que pensa ser a melhor ou que haja sido indicada por aquele que o comanda, aí precisa ele, pelo que me parece, permanecer e enfrentar os perigos, sem considerar a morte nem qualquer outra coisa, exceto a ignomínia."[18]

46. "Mas, meu caro, verifica se o nobre e o bom não são algo diferente de preservar e ser preservado; com efeito, aquele que fosse verdadeiramente homem não deveria pensar no tempo que durará sua vida nem a ela apegar-se, mas no que se refere a isso transferir o assunto para o deus, dar crédito às mulheres, segundo as quais ninguém escapa de sua sorte, e se limitar a examinar de qual maneira poderá viver o melhor no período que lhe foi destinado."[19]

47. Observa o curso dos astros como se estivesses sendo transportado com eles; e pondera constantemente nas transformações que os elementos operam entre si. Com efeito, tais ideias produzem uma limpeza das coisas sujas da vida terrena.

48. Admirável pensamento de Platão: "É necessário à pessoa que faz discursos sobre os seres humanos observar as coisas desta terra como se estivesse em um ponto elevado, a saber, rebanhos, expedições militares, atividades agrícolas, casamentos, divórcios, nascimentos, mortes, tumultos dos tribunais, lugares solitários, etnias diversas dos bárbaros, festas, cantos fúnebres, ágoras, essa mescla confusa de tudo e essa ordenação cuja origem são os contrários".[20]

49. Examina o passado profundamente: as tais principais mudanças. Podes, inclusive, prever as coisas vindouras. De fato, com certeza serão semelhantes e não sairão da regularidade daquilo que acontece atualmente: ter observado a vida humana durante quarenta anos é igual a tê-la observado durante 10 mil anos. Afinal, o que verás a mais?

50. "As coisas que nascem da terra à terra regressam, mas aquilo que se desenvolveu de um gérmen etéreo à abóboda celeste regressa."[21]

---

18. Platão, *Apologia de Sócrates*, 28d.
19. Platão, *Górgias*, 512d-e.
20. A autoria deste pensamento atribuído por Marco Aurélio a Platão divide os helenistas. Alguns consideram que figura em um escrito perdido de Platão, outros acreditam que é de Pitágoras.
21. Eurípides, *Crísipo*, fragmento 839, Nauck.

Isto é, a dissolução dos entrelaçamentos mútuos dos átomos e a dispersão semelhante dos elementos impassíveis.

51. E...

"Mediante comida, bebida e sortilégios querem se desviar do caminho reto do curso da vida visando não morrer."[22]

"O vento que sopra proveniente dos deuses deve ser suportado acompanhado de esforços penosos que não admitem lamentações."[23]

52. Esse indivíduo é melhor lutador, porém, não é mais participativo, mais generoso, mais dedicado à comunidade, mais reservado, mais bem-comportado diante do que acontece nem mais benevolente diante das faltas do próximo.

53. Onde for possível realizar uma tarefa segundo a razão comum dos deuses e dos seres humanos, nada tema; onde, com efeito, é possível servir por meio de uma atividade bem encaminhada e orientada de acordo com sua constituição, nenhum dano existe para se recear.

54. Está a teu alcance em todo lugar e constantemente com devoção religiosa contentar-te com o que acontece a ti presentemente, teres um comportamento justo com as pessoas que presentemente estão a tua volta e lidares metodicamente com tuas ideias atuais para que nada incompreensível nelas se introduza.

55. Não olhes a teu redor dando atenção à faculdade condutora alheia, mas olha diretamente para onde a natureza te encaminha, ou seja, a universal, atuante mediante os acontecimentos que te atingem, e tua natureza, que atua por meio das obrigações a que te submete. Cada um deve realizar aquilo que atende a sua constituição; as coisas e os animais restantes, distintos dos seres racionais, foram constituídos em função destes últimos, como percebemos em tudo que as coisas inferiores foram constituídas em função das superiores, isso embora os seres racionais hajam sido constituídos uns em função dos outros. Portanto, na constituição humana, o prioritário é o aspecto social. Em segundo lugar, vem a firmeza ou a inflexibilidade diante das exigências corpóreas; de fato, o que caracteriza o movimento da razão e da inteligência é estabelecer com precisão um limite para si mesmo e não

---

22. Eurípides, *Suplicantes*, 1110-1111.
23. O autor desta passagem nos é desconhecido.

ser subjugado nem pelas agitações dos sentidos nem pelos impulsos do instinto. Com efeito, esses impulsos ou agitações têm caráter animal. Contudo, a vontade do movimento da inteligência é prevalecer e não ser dominado por aquelas agitações e impulsos. Com justiça, pois é naturalmente dotado do poder de fazer uso dos demais. O terceiro ponto é que faz parte da constituição de um ser racional não ser precipitado nem se deixar enganar facilmente. Portanto, que tua faculdade condutora, tendo isso disponível, siga sem desvios seu caminho e mantenha a posse do que lhe cabe.

56. Considera-te como se estivesses morto e tendo tua vida transcorrido até agora, passa a viver de acordo com a natureza o resto que te é permitido.

57. Limita-te a amar o que acontece a ti mesmo e a trama de teu destino. Afinal, o que seria a ti mais conveniente?

58. Ao encarar cada incidente ou acontecimento, tem diante dos olhos aqueles que foram afetados pelos mesmos incidentes ou acontecimentos; a seguir, pensa naqueles que se afligiram, se espantaram, se lamentaram com isso. Bem, onde se encontram agora? Em lugar nenhum. Ora, é teu desejo imitá-los? Não preferes deixar essas posturas estranhas para aqueles que as alteram e são alterados por elas? Não preferes devotar-te inteiramente a aprender como te servir daquilo que acontece? Com efeito, há como tirar bom proveito dos acontecimentos e eles se revelarão matéria [apropriada] para ti. Apenas te preocupa em ser bom e dirige tua vontade nesse sentido, sendo bom em tudo o que fazes; e lembra-te de duas coisas, a saber, que o que importa é a ação boa e que é indiferente a ocasião na qual a praticas.

59. Observa o teu interior. A fonte do bem está em teu interior, fonte capaz de jorrar sempre desde que tu caves sempre.

60. É preciso que o corpo tenha também sua firmeza e consistência, que não seja frouxo em seus movimentos nem em sua postura. Com efeito, aquilo que a inteligência concede à fisionomia, de modo a preservar sua expressão inteligente e sua gravidade, deve ser reclamado também da totalidade do corpo. Entretanto, no que diz respeito a isso, convém se guardar de toda afetação.

61. A arte de viver assemelha-se mais à arte da luta do que à arte da dança, se considerarmos a necessidade de estar alerta, não dar passos

em falso e cair e, simultaneamente, evitar ser atingido aparando os golpes imprevistos.

62. Nunca deixes de pensar que pessoas são aquelas a cujo testemunho desejas recorrer e quais são suas diretrizes de vida. Com efeito, se fizeres isso, tu não as censurarás se vierem a cometer erros involuntários nem precisarás mais de seus testemunhos caso observes atentamente de onde se originam suas concepções e seus impulsos.

63. "Toda alma", ele diz, "é involuntariamente privada da verdade".[24] O mesmo se aplica, portanto, à justiça, à moderação, à benevolência e a todas as virtudes semelhantes. É sumamente necessário teres isso continuamente na memória, pois se o fizeres serás mais brando com todos.

64. Diante de qualquer sofrimento, tenhas sempre disponível a ideia de que este não é desonroso, que não torna pior a inteligência que te comanda; de fato, essa inteligência, seja do ponto de vista de sua matéria, seja do ponto de vista de seu caráter social, seria incorruptível em razão da ação do sofrimento; diante, todavia, dos sofrimentos mais intensos, busca conforto na máxima de Epicuro[25] de que *o sofrimento não é intolerável nem eterno, desde que te lembres de seus limites e que a ele nada acrescentes por meio da opinião que dele tens*;[26] lembra-te, ainda, das muitas coisas que suportas e que, embora ignores, são efetivamente sofrimentos, e dessas coisas constituem exemplos a sonolência, o calor escaldante e a falta de apetite; quando, portanto, um desses males te afligir, diz a ti mesmo que te entregas ao sofrimento.

65. Vigia para não alimentares em relação aos seres humanos que se afastam e se esquivam dos seres humanos os mesmos sentimentos que alimentam em relação aos seres humanos.

66. Como sabermos se a disposição moral de Telauges[27] não era melhor que a de Sócrates? Com efeito, não basta Sócrates ter tido uma morte que resultou em celebridade, haver sido mais hábil nos diálogos com os sofistas, ter mostrado maior firmeza e paciência ao suportar noites sob

---

24. Passagem de Platão, com base em citação de Epicteto, no *Encheiridion*.
25. Epicuro de Samos (?342 a.C.-270 a.C.) foi um filósofo grego.
26. Epicuro, fragmento 447, Usener.
27. Não sabemos a quem Marco Aurélio se refere nesta passagem.

o rigor do gelo,[28] ter demonstrado maior nobreza ao se negar a deter o salaminiano,[29] embora tenha recebido ordem para isso, e caminhado se dando ares pelas ruas;[30] essas coisas, se verdadeiras, são sumamente dignas de nossa atenção. Deve-se, porém, examinar o seguinte: que espécie de alma Sócrates possuía e se ele era capaz de satisfazer-se em ser justo em seu relacionamento com as pessoas, bem como em ser religioso em sua ligação com os deuses sem tomar-se de indignação diante do vício nem ser escravo da ignorância de alguém, não acolher como estranho o que lhe foi reservado pelo universo, ou como intolerável, nem conceder à inteligência o ensejo de solidarizar-se com as paixões da carne.

67. A natureza não misturou nem combinou as coisas a ponto de não facultar a ti estabelecer teus próprios limites e fazer, uma vez estando em tuas mãos, o que diz respeito a ti. De fato, é sumamente possível alguém tornar-se um homem divino sem ser notório para ninguém. Jamais esqueça isso, tampouco que, para viver na felicidade, necessitamos de poucas coisas. Ademais, que se, em desespero, perdeste a esperança de ser algum dia *um dialético ou um filósofo da natureza*,[31] isso não constitui razão para deixar de ser dotado dos sentimentos elevados de um homem livre, reservado, detentor de um espírito comunitário e obediente aos deuses.

68. Conserva tua vida sem recorrer à violência, na plena alegria, inclusive quando todos vociferarem invectivas contra ti movidas por vontade deles, mesmo quando as feras vierem a despedaçar os pobres membros dessa massa de carne que engordas em torno de ti. Afinal, em todas essas situações, qual a barreira existente a impedir teu pensamento

---

28. Cf. Platão, *O Banquete*, 220b.
29. Leon de Salamina era um abastado cidadão. O incidente mencionado por Marco Aurélio envolvendo Sócrates é narrado pelo próprio Sócrates sob a pena de Platão, na *Apologia de Sócrates*, 32c-d. O fato ocorreu em 404 a.C., durante o governo de Atenas que ficou conhecido como "Tirania dos Trinta". Sócrates não cumpriu a ordem de, acompanhado de quatro outros, trazer Leon de Salamina para ser executado.
30. Cf. Aristófanes, *Nuvens*, 362.
31. No original, "διαλεκτικὸς καὶ φυσικὸς" (*dialektikòs kaì physikòs*). O primeiro conhecia e praticava a arte da discussão ou diálogo, como Sócrates com seus interlocutores nos diálogos de Platão; o segundo, genericamente, era estudioso e investigador da natureza ou, especificamente, buscava na natureza um elemento primordial e originário de todas as coisas, à maneira dos primeiros filósofos gregos, como Tales, Anaximandro, Anaxímenes, Heráclito etc.

de preservar sua calma, de, ao presenciar o que ocorre a tua volta, julgar-te segundo a verdade e de estar a postos para fazer uso daquilo que se põe em teu caminho? Que ele, na medida de sua capacidade de julgar, diga ao que possa acontecer: isto é o que tu és em função de uma substância, ainda que a opinião te faça parecer diferente; mas que na medida de tua capacidade de servir-te do que acontece também diga: eu ia encontrar-te, pois o presente se mantém sendo para mim matéria de qualidade racional e social e, em geral, matéria para a obra humana ou divina. Com efeito, tudo o que acontece ingressa na familiaridade do deus ou da humanidade, não havendo, ademais, nada de novo nem de difícil manejo, sendo as coisas, pelo contrário, familiares e de fácil manuseio.

69. *Nisto consiste a perfeição dos costumes: conduzir cada dia da vida como se fosse o derradeiro, não se agitar, nem se entorpecer, nem fingir.*[32]

70. Os deuses, que são imortais, não se mostram descontentes diante da necessidade de, por uma eternidade, suportar completamente os maus que se mantêm sempre maus. Que se acresça que dispensam a eles cuidados de diversas formas. Tu, porém, mortal que vive apenas um instante e já estás no fim, ficas abatido quando tu próprio estás entre os maus?

71. É ridículo não escapar de um vício ou maldade pessoal, algo que é possível, e tentar escapar do vício ou da maldade alheia, algo que é impossível.

72. É razoável que a faculdade racional e o espírito de cidadania julguem inferiores a eles tudo aquilo que encontram e estimam como sendo carente de inteligibilidade e de sociabilidade.

73. Uma vez que hajas feito um bem e a outra pessoa foi beneficiada, qual é a terceira coisa que buscas, como os tolos, a ser somada às duas primeiras? A reputação de ser agente do benefício ou a eventual retribuição?

74. Ninguém se cansa de receber ajuda. Prestar ajuda é uma ação em consonância com a natureza. Assim, não te canses de prestar ajuda, pois receberás ajuda.

---

32. No original, "Τοῦτο ἔχει ἡ τελειότης τοῦ ἤθους, τὸ πᾶσαν ἡμέραν ὡς τελευταίαν διεξάγειν, καὶ μήτε σφύζειν, μήτε ναρκᾶν, μήτε ὑποκρίνεσθαι." (*Toýto ékhei he teleiótes toŷ éthoys, tò pâsan heméran hos teleytaían diexágein, kaì méte sphýzein, méte narkân, méte hypokrínesthai.*).

75. A natureza do universo se moveu para criar o mundo; agora, porém, ou tudo o que acontece vem a ser mediante um processo de sucessão, ou até as coisas mais importantes para as quais o que conduz o universo dirige seu próprio impulso são irracionais. Se lembrares, tal fato te tornará mais sereno em muitas situações.

LIVRO VIII

1. Eis o que, inclusive, te leva a ser indiferente à vanglória, a saber, a incapacidade de ter tornado tua vida toda, ou ao menos a porção dela a partir da juventude, a de um filósofo; mas, para muitas outras pessoas e para ti mesmo, é evidente que te conservaste muito distante da filosofia. Ficaste, portanto, confuso, tanto que não é agora para ti fácil granjear a reputação de filósofo. E a hipótese gera uma oposição. Se, assim, percebeste verdadeiramente o lugar que ocupas nessa matéria, deixa de lado a opinião que alimentam sobre ti; trata, sim, de te satisfazer em viver o resto de tua vida, independentemente de quanto dure, de acordo com a vontade da natureza. Portanto, observa racionalmente qual é a vontade da natureza e não te distraias com nenhuma outra coisa; de fato, já experimentaste – e em meio a quantos extravios – a tua incapacidade de descobrir o bem viver em qualquer departamento. Não o descobriste nos raciocínios, na riqueza, no prestígio, no gozo das coisas, em parte alguma. Então onde ele está? No praticar aquilo que a natureza humana busca. Como praticar isso? De posse dos princípios que originam os impulsos e as ações. Que princípios? Os que dizem respeito ao bem e ao mal, nomeadamente aqueles que indicam que não existe nenhum bem para o ser humano senão naquilo que nele produz justiça, moderação, coragem, liberdade, e nenhum mal senão naquilo que nele produz os opostos de tais excelências.

2. Por ocasião de cada ação, pergunta a ti mesmo: qual sua consequência para mim? Não virei a me arrepender dela? Dentro de pouco tempo, estarei morto e tudo terá acabado. O que mais deveria eu buscar, além disso, se minha presente ação é a de um ser vivo dotado de inteligência, que vive em comunidade e sujeito a uma lei que é igual àquela a qual o deus está sujeito?

3. Alexandre, *Caio*[1] e Pompeu: quem são estas pessoas comparadas a Diógenes,[2] Heráclito e Sócrates? Com efeito, estas últimas examinavam as coisas, as causas, as matérias e suas diretrizes e fundamentos permaneceram inalterados; quanto às primeiras, porém, quantas coisas, na ignorância, tiveram de prever e de quantas coisas se tornaram escravos!

4. Eles prosseguirão fazendo as mesmas coisas que fizeram, ainda que tu te arrebentes.

5. Em primeiro lugar, não te perturbes, pois tudo se comporta de acordo com a natureza do universo, e em pouco tempo tu não serás nada, como não são Adriano nem Augusto. Em seguida, detendo firmemente o olhar naquilo de que te ocupas, examina-o bem; lembra-te, ao mesmo tempo, de que deves ser uma pessoa boa e que, quanto à exigência da natureza humana, deves cumpri-la sem qualquer hesitação, e fala do modo que se revela a ti como sendo o mais justo: somente o faça com bondade e doçura, com discrição e sem fingimento.

6. O trabalho da natureza do universo consiste em mudar as coisas de lugar, deslocar o que está aqui para lá, transformá-lo e tomá-lo de onde está para transportá-lo para algum outro lugar. Todas as coisas estão em mudança; assim, não há por que temer a presença do novo; tudo está inserido no hábito; as atribuições, todavia, estão em pé de igualdade.

7. Toda natureza contenta-se consigo mesma se marcha sem obstáculos; uma natureza racional marcha sem obstáculos se em suas ideias não confere seu assentimento ao falso nem ao obscuro; e se dirige seus impulsos unicamente a ações comunitárias; e se restringe seus desejos e aversões ao que se encontra em seu poder; e se está satisfeita com tudo o que a natureza comum lhe destina. Com efeito, ela constitui parte da natureza comum, a exemplo da natureza da folha que faz parte da natureza da planta, com a ressalva de que a natureza da folha constitui parte de uma natureza destituída de percepção sensorial e de racionalidade, além de passível de ser tolhida; a natureza humana, diferentemente, constitui

---

1. No original, "Τάϊος" (*Gáïos*). Isto é, Gaius Julius Caesar (Caio Júlio César).
2. Não sabemos a rigor a qual Diógenes Marco Aurélio alude, mas, a julgar pelos outros nomes, é provável que seja uma referência a Diógenes de Sínope (?412 a.C.-?323 a.C.), filósofo grego da escola cínica, denominado "o Cão".

parte de uma natureza imune a qualquer tolhimento ou obstáculo, além de ser inteligente e justa; de fato, ela atua distribuindo de maneira equitativa a cada um e segundo o mérito de cada um a parte que lhe cabe de tempo, substância, causa, força e acontecimentos e contingências. Observa, porém, que não conseguirás descobrir em tudo essa igualdade se comparares uma coisa com outra considerando todos os detalhes, sendo, diversamente, o caso de comparar no todo tudo o que foi atribuído a uma ao conjunto daquilo que foi atribuído à outra.

8. Não tens mais capacidade para ler. Tens, porém, capacidade de conter a insolência; tu a tens, porém, para superar o prazer e a dor; tu a tens, porém, para ser superior a uma pequena glória; tu a tens, porém, para não te incomodar com os obtusos e os ingratos e, ademais, ser solícito com eles.

9. Não é de se esperar de ti que alguém te escute lançando censuras à vida na corte e que não te escutes a ti mesmo o fazendo.

10. O arrependimento é uma autocensura por havermos desconsiderado algo proveitoso. O bem deve ser algo proveitoso, devendo o homem nobre e bom ser cioso dele. No entanto, nenhum homem nobre e bom se arrependeria por haver desconsiderado algum prazer. Consequentemente, um prazer não é algo proveitoso nem bom.

11. O que é isto em si mesmo em sua constituição característica? O que é nele substancial e material? O que é nele causal? O que faz no mundo? Por quanto tempo existirá?

12. Quando despertares com dificuldade, lembra-te que prestar ações em prol da comunidade é o que está de acordo com tua constituição e com a natureza humana, ao passo que dormir é algo que compartilhas com os animais irracionais; realmente, o que está em conformidade com a natureza de cada criatura é o que lhe é mais próprio, o que mais lhe convém naturalmente e, em resultado disso, o que lhe é mais agradável e salutar.

13. De maneira contínua e, se possível, com relação a toda ideia, recorre à *filosofia da natureza, à ciência que trata das paixões e doenças e à dialética*.[3]

---

3. No original, "φυσιολογεῖν, παθολογεῖν, διαλεκτικεύεσθαι." (*physiologeîn, pathologeîn, dialektikeýesthai.*).

14. Qualquer que seja a pessoa com quem topes, indaga a ti de antemão: quais as opiniões que ela tem acerca do que é bom e do que é mau? Com efeito, se no que diz respeito ao prazer e à dor e ao que produz cada um deles e no que diz respeito à boa reputação, à má reputação, à morte e à vida, tem esta ou aquela opinião, não me surpreenderá em nada nem me parecerá estranho essa pessoa fazer isso ou aquilo; e pensarei que lhe é imperioso fazê-lo.

15. Lembra que como é impróprio estranhar que uma figueira produza figos, é impróprio se estranhar que o mundo produza coisas das quais é naturalmente produtor; e também para o médico é impróprio estranhar que alguém tenha febre, como o é para o piloto do navio que o vento sopre em sentido contrário.

16. Lembra que mudar de ponto de vista e seguir aquele que corrige são atos igualmente livres. Com efeito, és tu que dás o remate à atividade levada a cabo segundo teu próprio impulso e critério e, realmente, também segundo teu entendimento.

17. Se algo está sob teu controle, por que tu o fazes? Mas se o controle está nas mãos de outro, a quem acusas? Os átomos ou os deuses? Ambas as alternativas são insensatas. Não se trata de acusar ninguém. Com efeito, se tiveres poder para tanto, empreende a correção do possível culpado; mas se não o tiveres, corrige apenas a coisa; se nem isso, contudo, for possível, a quem dirigir tua acusação? Afinal, nada deve ser feito na casualidade.

18. *O que morreu não cai fora do mundo.*[4] Se aqui está fixo, também aqui se transforma e se dissolve em suas particularidades, as quais são elementos do mundo e de ti. E também esses elementos se transformam e não murmuram.

19. Cada coisa foi gerada em vista de algo, o cavalo, a vinha. Qual o motivo de teu espanto? Hélio,[5] inclusive, dirá que nasceu para uma tarefa, e também os demais deuses. Assim, para que tu nasceste? Para usufruir do prazer? Convém que vejas se essa ideia é sustentável.

---

4. No original, "Ἔξω τοῦ κόσμου τὸ ἀποθανὸν οὐ πίπτει." (*Éxo toý kósmoy tò apothanòn oy píptei.*).
5. Trata-se do deus que personifica o sol.

20. A natureza visou o fim de cada coisa não menos do que seu princípio e sua condução até o fim, como aquele que joga a bola. Que bem produz uma bola se lançada em um movimento ascendente ou que mal se lançada em um descendente, ou inclusive se cair no chão? E que bem produz uma bolha ao se formar ou mal ao se dissolver? O mesmo vale também para uma candeia.

21. Revolve este corpo e contempla o que é, o que virá a ser quando for atingido pela velhice, pela doença e pelo deboche ou na prostituição.

Efêmera é a vida para quem tece elogios e para quem é objeto de elogios, para aquele que se lembra e para aquele que é lembrado. Que se acresça a isso que tudo é vivido em um canto de uma região, onde, inclusive, todas as pessoas não vivem em harmonia nem alguém consigo mesmo. E a Terra toda é um ponto.

22. Concede atenção àquilo que tens sob os olhos e de que te ocupas, ou a teus princípios, ou a teus atos, ou ao significado de tuas palavras.

Isso que sofres tu o sofres justamente; queres, de preferência, o amanhã para que te tornes uma pessoa boa a ser hoje esta pessoa boa.

23. Realizo algo? Eu o realizo tomando como referência o benefício às pessoas. Sou atingido por algum acontecimento? Eu o acolho tomando como referência os deuses e a fonte de tudo, origem comum do conjunto de todos os acontecimentos.

24. Da maneira que a ti parece o banho: óleo, suor, sujeira, água viscosa, todas essas coisas nojentas, a ti parecerá toda parte da vida e tudo aquilo que se coloca sob teu olhar.

25. Lucila sepultou Vero,[6] em seguida, ela foi sepultada; Secunda[7] sepultou Máximo, em seguida, foi a vez dela; Epitíncano[8] sepultou Diotimo[9] para na sequência ser ele sepultado; Antonino sepultou Faustina[10] e na sequência foi ele, Antonino, sepultado. Sempre sucessivamente. Céler[11] sepultou Adriano, para em seguida baixar ao túmulo. E aqueles dotados de tanta argúcia, ou porque capazes de prognosticar o futuro, ou

---

6. Respectivamente, mãe e pai biológicos de Marco Aurélio.
7. Esposa de Máximo.
8. Este nos é desconhecido.
9. Provavelmente, trata-se de um escravo liberto que pertencera ao imperador Adriano.
10. Esposa de Marco Aurélio.
11. Orador contemporâneo de Adriano.

porque aturdidos ou embrutecidos de tanto orgulho, onde os encontrar? Por exemplo, no elenco dos homens dotados de inteligência aguda, Cárax, Demétrio, o platônico, Eudêmon[12] e outros a ele semelhantes? Todos condenados ao efêmero e mortos há muito tempo; no que se refere a alguns, temos uma vaga lembrança; alguns se transformaram em mitos, ao passo que outros já foram apagados mesmo das fábulas. Diante disso, é necessário lembrares que este teu corpo precário se dispersará, ou teu débil sopro vital se extinguirá, ou se deslocará e se instalará em outro lugar.

26. A alegria do ser humano consiste em fazer o que é característico do ser humano. Característicos do ser humano são a benevolência no trato com aqueles que são de sua espécie, o desprezo pelos impulsos e agitações dos sentidos, o discernimento no que toca às ideias dignas de crédito e a observação da natureza do universo e dos acontecimentos que são determinados por ela.

27. Existem três relações: uma com o invólucro que te envolve; outra com a causa divina da qual tudo se origina para tudo e ainda uma com aqueles que convivem contigo.

28. A dor ou é um mal para o corpo, caso em que deve ser mostrado, ou o é para a alma. Quanto à alma, porém, a ela é facultado preservar sua própria serenidade e calma e não conceber esse mal que é a dor. De fato, todo juízo, impulso, desejo e todo ato de se esquivar de algo residem em nosso interior, onde nenhum mal acessa.

29. Apaga as ideias produzidas pela imaginação dizendo a ti mesmo continuamente: "Está em meu poder agora fazer que não esteja presente nesta alma nenhuma maldade, nenhum apetite, em resumo, nenhuma perturbação. Que contemplando todas as coisas como elas são, eu me sirva de cada uma com base no valor que cada uma possui". Lembra-te desse poder a ti concedido pela natureza.

30. Dirige a palavra ao senado ou a qualquer pessoa de maneira equilibrada e decente e fala com muita clareza; faz uso de um discurso sadio.

31. A corte de Augusto, a esposa, a filha, os netos e descendentes, os genros ou enteados, os ancestrais, a irmã, Agripa,[13] os parentes, os

---

12. Estas figuras nos são desconhecidas.
13. Marcus Vipsanius Agrippa (63 a.C.-12 a.C.) foi amigo de Augusto e membro do exército.

membros em geral de sua casa, os amigos, Areios, Mecenas,[14] os médicos, os sacrificadores: toda a corte colhida pela morte. Outros vêm na sequência, envolvendo a morte não de um único indivíduo humano, mas, por exemplo, da totalidade dos Pompeu. Basta refletir nas inscrições das sepulturas: aqui jaz o último de sua estirpe. Pensa em quantos movimentos tortuosos foram executados pelos ancestrais para deixar um sucessor! Foi, todavia, necessário passar a existir um último, e nesse ponto ocorreu a morte de toda uma estirpe.

32. É preciso organizar a vida segundo uma única conduta, e se dentro da possibilidade cada uma de tuas ações cumprir sua função para ti, deves dar-te por satisfeito. Bem, não está no poder de ninguém te impedir de fazer que cumpra sua função. – Mas um elemento exterior criará contra isso um obstáculo. – Ninguém seria capaz de impedir-te de agir com justiça, moderação, sabedoria e ponderação. Mas talvez outra atividade minha venha a topar com esse obstáculo? Bem, no caso de se admitir esse obstáculo com satisfação e de tu realizares uma conversão tratando aquele que criou o obstáculo para ti bondosa e afavelmente, logo darás lugar a uma atitude distinta que se ajustará no arranjo de que falamos aqui.

33. Deves receber sem orgulho, mas abrir mão de maneira solta e fácil.

34. Se algum dia viste uma mão ou um pé amputados ou uma cabeça cortada estendidos em qualquer lugar a certa distância do resto do corpo, faz uma ideia daquele que consigo mesmo não dá assentimento ao que acontece e produz uma cisão dentro de si ou que age opondo-se à vida em comunidade, ou seja, que é insociável. Se fores assim, estarás fora dessa união em consonância com a natureza; com efeito, nasceste e cresceste na qualidade de uma parte dela e, agora, tu mesmo te separaste. Entretanto (algo conveniente e engenhoso), podes unir-te a ela novamente. Isso não foi concedido por um deus a nenhuma outra parte, isto é, reunir-se ao universo após haver se separado dele. Mas observa com que bondade ele concedeu essa honra ao ser humano; com efeito, foi conferido a ele o poder de não ser separado do universo, mas

---

14. Areios foi amigo de Augusto. Mecenas foi amigo e conselheiro de Augusto e se celebrizou por seu amor às artes e apoio aos artistas.

tendo ele mesmo se dissociado do universo, tem o poder de a ele voltar, reunir-se a ele e nele assumir novamente seu posto na qualidade de uma parte.

35. Como cada ser racional recebeu quase todas as suas demais faculdades da natureza dos seres dotados de razão, também tu possuis esta faculdade, igualmente procedente dela, como ser vivo racional que pode também transformar todo obstáculo em matéria para a promoção de si mesmo, dele fazendo uso, independentemente de qual tenha sido seu primeiro impulso. Nisso tal ser imita a natureza universal que utiliza e submete à determinação do destino todo obstáculo com que topa, tudo aquilo que lhe faz oposição, e o que torna uma de suas partes.

36. Não te perturbes com a ideia referente à totalidade de tua vida. Não te deixes persuadir por pensamentos que, de imediato, abarquem todas as diversas dificuldades que possas esperar te atingir, mas pergunta a ti em todas as oportunidades: o que há nisto que seja intolerável e insuportável? Com efeito, terás vergonha de confessá-lo. Em seguida, lembra a ti mesmo que nem o futuro nem o passado constituem para ti um fardo, mas invariavelmente o presente, o qual, porém, está reduzido a um mínimo se te circunscreves apenas a ele e contestas tua inteligência na hipótese de ela não poder fazer oposição.

37. Senta-se agora ao lado do ataúde de Vero, Panteia ou Pérgamo?[15] E ao lado daquele de Adriano sentam-se Chabrias[16] ou Diotimo? Ridículo! E, caso se sentassem, os mortos perceberiam? E se os mortos percebessem, ficariam alegres com isso? E caso os mortos se alegrassem com isso, seriam imortais? Não estariam esses indivíduos também fadados a serem primeiramente velhas e velhos para depois morrerem? O que fariam aqueles mortos depois de estarem estes mortos? *Tudo isso é mau odor e sangue impuro encerrados em um saco.*[17]

38. "Se és capaz de ver com precisão, vê, julga", diz ele, "com máxima sabedoria".[18]

---

15. Pérgamo foi um escravo liberto de Vero; Panteia foi sua esposa ou amante.
16. Escravo liberto do imperador Adriano.
17. No original, "Γράσος πᾶν τοῦτο καὶ λύθρον ἐν θυλάκῳ." (*Grásos pân toŷto kaì lýthron en thylákoi.*). Exemplo da usual preferência de Marco Aurélio por imagens fortes e prosaicas.
18. O autor desta passagem nos é desconhecido.

39. Não vejo na constituição do animal racional nenhuma virtude contrária à justiça; vejo, entretanto, a moderação contrária ao prazer.

40. Se consegues simplesmente afastar tua concepção sobre o que parece causar-te aflição ou dor, tu te colocas em uma posição de máxima firmeza e segurança. – Tu próprio? – A razão. – Mas eu não sou razão. – Que seja, mas que a razão, ela mesma, não se aflija. Se, todavia, alguma outra coisa em ti vier a sofrer um dano ou um mal, que o conceba como algo que deve ser bem acolhido.

41. Constitui um mal para uma natureza animal barrar os sentidos. Constitui igualmente um mal para uma natureza animal barrar os impulsos do instinto. Existe igualmente uma espécie distinta de barreira que é um mal para a constituição vegetal. Disso conclui-se que uma barreira imposta à inteligência causa mal a uma natureza inteligente. Aplica todos esses princípios a ti mesmo. Uma dor, um prazer te atingem? Que a percepção sensorial se ocupe disso. Há uma barreira para teus impulsos? Ora, se te diriges a eles sem reservas, já produziste um mal como ser vivo racional. Se, entretanto, manténs o que é do interesse comum, não sofrerás dano nem haverá para ti nenhuma barreira. Decerto, no que respeita às funções particulares da inteligência, nenhuma outra pessoa, além de ti, costuma criar barreiras para elas. Com efeito, nem o fogo, nem o ferro, nem o tirano, nem a difamação são capazes de atingir a inteligência. Uma vez que se torna uma esfera impecavelmente arredondada,[19] ela se estabiliza.

42. Não mereço causar a mim mesmo dor ou aflição, pois nunca e de modo algum as causei voluntariamente aos outros.

43. As pessoas se regozijam com coisas diferentes. Eu me regozijo mantendo a integridade da faculdade condutora, não permitindo que se esquive nem a nenhum ser humano, nem a quaisquer acontecimentos por meio dos quais os seres humanos são atingidos, mas sim levando-a a contemplar todas as coisas com um olhar de benevolência, admiti-las favoravelmente, servindo-se de cada uma conforme seu valor.

44. Acolhe com agrado e a teu favor o tempo presente que está diante de ti e ao teu alcance. Aqueles indivíduos que preferem buscar

---

[19]. Expressão emprestada de Empédocles, filósofo da natureza grego que floresceu no século V a.C.

um renome póstumo não se dão conta de que aqueles que os sucederão, no futuro, serão idênticos àqueles que os aborrecem e cansam no presente; e que, ademais, continuarão sendo também mortais. Em resumo, se uns te aclamam servindo-se das altas vozes dos outros ou fazem de ti objeto de tal opinião, qual a importância disso para ti?

45. Agarra-me e arremessa-me onde desejares, o que, com efeito, não me impedirá de manter minha divindade tutelar com bom humor, quer dizer, contente se ela existir e se comportar de acordo com a constituição que lhe é peculiar.

Isso valeria a pena ao preço de resultar em dano para minha alma, piorá-la, rebaixá-la, torná-la passional, mergulhada na submissão, atemorizada? E onde descobrirás algo digno desse preço?

46. Nada pode acontecer a nenhum ser humano que não seja humanamente acidental; nem a um boi que não seja bovinamente acidental; nem a uma vinha que não seja acidental para a vinha; nem a uma pedra que não seja próprio da pedra. Se, assim, apenas acontece a cada um o que é para cada um habitual e natural, por que teu descontentamento? Com efeito, a natureza comum não traz a ti algo que seja insuportável.

47. Se sofres por causa de algo exterior, não é ele que te incomoda, mas sim a apreciação que fazes dele. Bem, a eliminação imediata dessa apreciação cabe a ti. Se, porém, tu sofres em função de algo presente em tua disposição, qual obstáculo que te impede de corrigir tua opinião? Analogamente, se a causa de teu sofrimento é não realizar uma ação que a ti se revela íntegra, qual a razão de não realizares essa ação em lugar de sofrer? – Mas algo mais forte me barra. – Então não sofras, uma vez que não és responsável por não realizar essa ação. – Mas a vida não é digna se não a realizar. – Nesse caso, parte da vida de modo afável, como aquele que morre em meio a atividades, mantendo ao mesmo tempo teu bom humor diante das barreiras.

48. Lembra que a faculdade condutora é invencível, contentando-se consigo própria quando voltada para si mesma, e nada faz que não quer, mesmo resistindo com obstinação irracional. Assim como será ao formar um juízo de acordo com a razão e de maneira circunspecta? Conclui-se que a inteligência livre das paixões é uma cidadela; com efeito, nada que o ser humano possui é mais sólido, nela podendo refugiar-se e obter um futuro inexpugnável. Portanto, é um ignorante

aquele que não viu isso; entretanto, aquele que viu e não recorreu a esse refúgio é um infeliz.

49. A ti mesmo, acrescenta apenas aquilo que foi anunciado a ti antecipadamente pelas ideias. Foi anunciado que fulano falou mal de ti. Isso foi anunciado. Não foi, porém, anunciado que tenha prejudicado a ti. Vejo que meu filho está doente. Vejo. Mas eu não vejo que ele corre perigo. Desse modo, portanto, fixa-te sempre nas primeiras ideias, nada acrescentando a elas que proceda do teu interior, e assim nada acontecerá a ti. Ou, em lugar disso, faz o acréscimo como alguém que descobriu cada uma das circunstâncias presentes nos acontecimentos no mundo.

50. O pepino está amargo? Joga-o fora. Há sarça no caminho? Desvia dela. É quanto basta. Não adiciones esta interrogação: por que isso veio a existir no mundo? Tu te converterás em objeto de riso para o filósofo da natureza e cairás em ridículo diante do marceneiro e do sapateiro se, ao visitar suas oficinas, fizeres e expressares uma apreciação desfavorável, reprovadora, ao veres aparas e retalhos remanescentes do que estão confeccionando. Entretanto, eles têm um local onde descartar isso; a natureza do universo nada tem que lhe seja exterior. O maravilhoso, porém, em sua arte, é o fato de, confinada em si mesma, transformar em seu próprio seio tudo aquilo que em seu interior parece em processo de corrupção, de envelhecimento, e reduzido à inutilidade, bem como o fato de, servindo-se e partindo disso mesmo, produzir doravante coisas novas. O resultado é ela não fazer uso de substâncias estranhas, dispensando igualmente um local onde lançar os restos deteriorados. Para ela, basta o espaço que ocupa, sua própria matéria e a arte que lhe é particular.

51. Nas ações, não aja de maneira precipitada nem de maneira lânguida ou negligente; nas conversas, não seja criador de confusão e de desentendimento; nas ideias, não te desorientes perdendo a coerência; na tua alma, de modo algum te contraias sob o peso das preocupações nem te distraias fugindo delas; e não ocupes tua vida inteira com negócios e dificuldades dispensando o ócio.

Matam, esquartejam, vão em frente com suas imprecações ou maldições. No que isso se opõe a manteres a pureza, a prudência, a moderação e a justiça do teu pensamento? É como se alguém cobrisse de injúrias uma fonte de água límpida e doce ao passar nas proximidades dela: nem por isso deixará de jorrar água potável; mas mesmo que venha a lançar lama, mesmo que venha a lançar esterco, não tardará a produzir sua dispersão e lavagem, de sorte que nada, de modo algum, permanecerá poluído. Como carregarás em ti uma fonte inesgotável? Conservando-te constantemente atento à liberdade acompanhada da benevolência, da simplicidade e da discrição.

52. A pessoa que desconhece o que é o mundo desconhece o lugar em que está. Aquela que desconhece a finalidade de ter nascido desconhece o quem é e o que é o mundo. Aquela que deixou de lado uma ou outra dessas questões não se encontra em condição de dizer qual a finalidade de seu nascimento. Qual a impressão que tens de quem busca os aplausos e os elogios ou foge das censuras provenientes de pessoas que fazem barulho, mas ignoram onde estão e o que são?

53. Desejas receber elogios de uma pessoa que três vezes por hora lança imprecações contra si mesma? Desejas agradar a uma pessoa que não é agradável consigo mesma? Porventura agrada a si mesmo aquele que se arrepende de quase tudo o que realiza?

54. Não te limites a respirar recorrendo ao ar que te envolve, mas desde já a pensar recorrendo à inteligência que tudo envolve. Com efeito, *a faculdade inteligente*[20] não é menos disseminada em toda parte nem se introduz menos em toda coisa capaz de absorvê-la do que aquilo que tem a natureza do ar em toda coisa capaz de respirá-lo.

55. O mal em termos gerais não causa nenhum dano ao mundo, tampouco em termos particulares causa dano a outro indivíduo. Ele somente é prejudicial àquele a quem caberia dele se libertar quando, primeiramente, quiser fazê-lo.

56. *Para o meu livre-arbítrio*,[21] o livre-arbítrio do meu próximo é tão indiferente quanto seu sopro vital ou sua carne. De fato, mesmo na hipótese de havermos nascido maximamente em função de uma reciprocidade, a faculdade condutora de cada um de nós possui sua própria soberania. Se assim não fosse, o vício ou a maldade de meu próximo seria meu; não foi o que a divindade concebeu, buscando não deixar no poder de outra pessoa produzir minha desventura.

---

20. No original, "ἡ νοερὰ δύναμις" (*he noerà dýnamis*).
21. No original, "Τῷ ἐμῷ προαιρετικῷ" (*tôi emôi proairetikôi*). Também pode ser traduzido como "para minha prévia escolha".

57. O sol parece difundir-se e, efetivamente, faz isso por toda parte, sua abundância sendo ilimitada. Com efeito, essa sua difusão é uma extensão. Seus raios[22] decerto são chamados ἀκτῖνες (aktînes), do verbo ἐκτείνεσθαι (ekteínesthai), que significa estender, estender-se. Tu percebes o que é um *raio*[23] se observares a luz do sol ingressar em um aposento escuro de uma casa. Ela se estende em uma linha reta e como que se deposita na superfície do sólido que encontra pelo caminho e que a separa do ar que a sucede; é aí que se detém, mas sem deslizar nem se precipitar. É preciso que a inteligência se difunda e transborde desse modo, em um transbordamento absolutamente profuso, mas estendendo-se sem chocar-se contra os obstáculos em seu caminho violenta e impetuosamente; sem precipitar-se, mas detendo-se no objeto que a acolhe e elucidando-o. De fato, o objeto que a deixa passar despercebida, que a repudia, priva-se a si mesmo de clareza.

58. A pessoa que teme a morte temerá estar privado de quaisquer sensações ou de experimentar sensações diferentes. Na ausência de qualquer sensação, porém, não sentirás nenhum mal; na hipótese de adquirires sensações distintas, serás um ser vivo distinto e não cessarás de viver.

59. Os seres humanos nasceram para a reciprocidade. Portanto, ministra-lhes um ensinamento nesse sentido ou suporte-os.

60. Um projétil (dardo, flecha etc.) e a inteligência se movem de maneiras diferentes; contudo, a inteligência, quando toma suas precauções e se volta para uma reflexão, move-se diretamente não menos que um projétil rumo à meta visada.

61. Entra na faculdade condutora de cada um; permite também que todos os outros entrem em tua própria faculdade condutora.

---

22. No original, "αἱ αὐγαὶ αὐτοῦ" (*hai aygaì aytoý*).
23. No original, "ἀκτίς" (*aktís*). Significa raio luminoso, raio do sol.

LIVRO IX

1. O injusto é *irreligioso*,[1] pois uma vez que a natureza universal constituiu os animais racionais para a assistência mútua em consonância com os méritos, mas não para se prejudicar mutuamente, aquele que transgride o desígnio dela incorre evidentemente em irreligiosidade com relação ao deus mais venerável. Inclusive, aquele que mente incorre em irreligiosidade para com o mesmo deus. Com efeito, a natureza universal é a natureza dos seres. Os seres, ademais, relacionam-se estreitamente com todas as coisas que vêm a ser. Além disso, esse deus é chamado verdade, sendo também a causa primordial de tudo o que é verdadeiro. Assim, o mentiroso que mente voluntariamente incorre em irreligiosidade na medida em que, ao mentir, perpetra injustiça; aquele que o faz involuntariamente também incorre em irreligiosidade, na medida em que sua ação resulta no abalo da ordem presente na *natureza do universo*,[2] gerando um conflito contra a *natureza do mundo*;[3] de fato, entra em conflito com ela todo aquele que se conduz em oposição à verdade; com efeito, a natureza lhe proporcionou princípios que foram objeto de sua negligência, não podendo ele agora distinguir as coisas falsas das verdadeiras. Ademais, é irreligioso aquele que busca os prazeres como se fossem bens, ao passo que foge das dores como se fossem males. Realmente, não há como evitar que tal pessoa acabe por, com frequência, acusar a natureza comum de atribuir os quinhões das coisas aos indivíduos maus e aos bons sem a referência ao mérito, pois não é raro os maus estarem em meio aos prazeres e àquilo que os produz, enquanto os bons topam com as dores e com aquilo que as produz. Some-se a isso que a pessoa que teme as dores temerá algum dia os acontecimentos que

---

1. No original, "ἀσεβεῖ" (*asebeî*).
2. No original, "ὅλων φύσει" (*hólon phýsei*).
3. No original, "κόσμου φύσει" (*kósmoy phýsei*).

poderão se produzir no mundo, e isso já é irreligiosidade. Aquele que busca os prazeres não conseguirá abster-se deles e cometerá injustiças; isso é visivelmente irreligioso. No que toca às coisas em relação às quais a natureza comum se mostra indiferente (visto que ela não teria criado ambos [a dor e o prazer], indiferentemente, se não se mostrasse indiferente a eles), é necessário que aqueles que querem acatar a natureza e estar em harmonia com ela experimentem também uma disposição de indiferença em relação àquelas coisas; o resultado disso é que qualquer pessoa que, no que diz respeito à dor e ao prazer, ou à morte e à vida, ou à boa e à má reputação (o prestígio e a ausência dele), não permaneça indiferente, considerando que são coisas das quais a natureza do universo se serve indiferentemente, obviamente incorre em irreligiosidade. Ao empregar indiferentemente esses eventos, digo que a natureza comum faz isso para indicar que se produzem indiferentemente de maneira sucessiva, envolvendo as coisas que nascem e as que as sucedem com base em algum impulso originário da Providência, segundo o qual, de dado ponto inicial, ela empreendeu a criação ordenada [do mundo], abarcando certas decisões relativas às coisas que haverão de ser e determinando as faculdades capazes de gerar as realidades materiais que servem de fundamento, as transformações e as sucessões.

2. Seria mais refinado e condigno para um *homem*[4] partir do convívio dos seres humanos sem haver experimentado o gosto pelo discurso mentiroso, por toda forma de fingimento, pelo orgulho e pela soberba. Entretanto, morrer após a saciedade dessas coisas e estar delas fatigado significam ao menos uma alteração do curso da navegação. Preferes insistir na maldade, não tendo, inclusive, a experiência te convencido a escapar dessa peste? Com efeito, a corrupção da inteligência é uma peste muito maior que as intempéries e a contaminação do ar que nos circunda. De fato, esta peste se abate sobre os seres vivos em sua condição de seres vivos, enquanto aquela se abate sobre os seres humanos em sua condição de seres humanos.

3. Não desprezes a morte; regozija-te com ela porquanto está também entre aquelas coisas que atendem ao desejo da natureza. De fato,

---

4. No original, "ἀνδρός" (*andrós*). Na tradição do pensamento grego, o referencial é o ser humano do gênero masculino.

a dissolução é como ser jovem, como tornar-se velho e crescer, tornar-se maduro, ter dentes, barba e cabelos grisalhos, e engendrar, engravidar, conceber e todas as demais atividades naturais trazidas pelas estações de tua vida. Isso, por conseguinte, é o que se coaduna com uma pessoa ponderada, ou seja, com referência à morte, não ser negligente, nem impulsivo, nem desdenhoso, mas por ela aguardar como uma das atividades da natureza. Como agora aguardas o momento em que o bebê saia do útero de tua esposa, prepara-te para a hora na qual tua *pequena alma*[5] vai abandonar esse invólucro. E se desejares uma regra trivial capaz de enternecer teu coração e te oferecer uma posição sobremaneira cômoda com referência à morte, dirige tua atenção aos objetos dos quais vais te afastar e aos hábitos com os quais a alma não estará envolvida. É preciso indispor-se o menos possível com as pessoas, mas preocupar-se com elas e suportá-las com brandura, lembrando-se, todavia, que teu desenlace te livrará das pessoas que não possuem princípios iguais aos teus. Realmente, a única coisa, se é que há uma, suscetível de unir-te à vida e nela manter-te seria a possibilidade de conviver com gente que compartilhasse de teus princípios. Porém, agora percebes quanto sofrimento e esgotamento advêm dos desentendimentos produzidos na vida em comum, a ponto de ser levado a declarar: "Vem mais depressa, ó morte, pois receio que venha a acontecer de eu também esquecer-me de mim mesmo".

4. Aquele que comete faltas comete-as em desfavor de si mesmo; aquele que comete injustiças comete-as em desfavor de si mesmo tornando a si mesmo mau.

5. Não só comete injustiça aquele que faz certa coisa como, frequentemente, também aquele que se omite em fazê-la.

6. Que o ponto de vista que se apresenta seja compreensível, que a ação que se apresenta seja de interesse comum e suficiente e que a disposição que se apresenta seja apta a agradar a tudo o que se origina da causa exterior.

7. Suprimir a imaginação; frear o impulso; extinguir o desejo; conservar o controle da faculdade condutora.

---

5. No original, "ψυχάριόν" (*psykhárión*).

8. Em meio aos animais irracionais, existe uma única alma repartida entre eles; também em meio aos racionais existe uma única alma fracionada entre os seres inteligentes, como existe uma única terra para tudo o que é telúrico, uma luz mediante a qual vemos e um ar que respiramos [em comum] com todos aqueles que veem e todos aqueles que respiram.

9. Quaisquer seres que participam de algo comum buscam ardentemente aquilo que se assemelha a eles. Tudo o que é telúrico tem propensão para a terra, tudo o que é líquido tem propensão para fluir, igualmente o que tem natureza aérea, como o vento; a consequência é a necessidade de impor barreiras e empregar força para efetuar sua separação. O fogo que se move para o alto por conta do fogo elementar também se predispõe a flamejar com todo o fogo presente aqui embaixo, a tal ponto que o resultado é toda matéria, mesmo sendo pouco seca, inflamar-se facilmente, pelo fato de estar menos misturada ao que poderia constituir um obstáculo a seu acendimento e inflamação. E, portanto, qualquer um que seja partícipe da natureza pensante comum procura análoga e zelosamente reunir-se ao que lhe é afim, ou, inclusive, mais que isso. Com efeito, quanto maior a superioridade de um ser em relação aos demais, mais ele se predispõe a mesclar-se e confundir-se com o que tem afinidade. Disso decorre, com certeza e de forma direta, descobrir-se, com referência às criaturas irracionais, os enxames de abelhas ou de vespas, os rebanhos, os ninhos, e a afeição entre todos. De fato, nelas já existem almas, mostrando-se vívido o instinto gregário presente nessas criaturas superiores, ao passo que é inexistente no que se refere a plantas, pedras ou toras de madeira. Quanto aos seres vivos racionais, registramos a existência de formas de governo político, de famílias, de reuniões, e quando irrompem guerras, tratados e armistícios. Quanto aos seres ainda superiores, embora separados por considerável distância, é constituída de certo modo uma forma de união, o que é exemplificado pelos astros. O trabalho visando à ascensão rumo ao que lhes é superior pode gerar a relação mútua, até entre aqueles separados pela distância. Assim, observa atentamente o que acontece agora. Com efeito, os seres inteligentes são os únicos que presentemente esquecem esse zelo e cuidado mútuos, bem como essa inclinação mútua, e exclusivamente aqui não se observa essa

confluência. Entretanto, embora se furtem à natureza, acabarão cercados e apreendidos, pois a natureza é soberana; se atentares para o que digo, tu o perceberás. Com certeza, ao menos descobrirás com maior rapidez algo de natureza terrestre teluricamente desunido do que um ser humano separado dos seres humanos.

10. O ser humano, a divindade e o mundo produzem frutos; cada um produz tais frutos na estação que lhe é própria. Contudo, ainda que o emprego ordinário do termo se refira precisamente a vinha e plantas semelhantes, isso carece de importância. *A razão possui um fruto tanto comum como particular,*[6] do qual são gerados outros semelhantes que compartilham da natureza da própria razão.

11. Se tiveres para isso capacidade, instrui essas pessoas de acordo com outro método de ensino; se não tiveres, lembra-te que a benevolência foi concedida a ti para lidares com essa situação. Os deuses, inclusive, são benevolentes com tais pessoas; são tão prestativos que, por vezes, as auxiliam na conquista de saúde, riqueza, fama. Para ti, isso também está facultado. Ou diz-me: qual obstáculo te detém?

12. Esforça-te no trabalho! Não como um infeliz nem como alguém que quer ser alvo de compaixão ou admiração, mas como uma pessoa que quer unicamente mover-se ou deter-se como a razão social considera justo.

13. Hoje escapei de todas as circunstâncias difíceis e desfavoráveis; ou melhor, arremessei fora todas as circunstâncias difíceis e desfavoráveis; com efeito, não se achavam fora de mim, mas dentro de mim, nos pontos de vista que eu sustentava.

14. A experiência torna tudo habitual; o tempo torna tudo efêmero; a matéria torna tudo sujo e sórdido. Atualmente, tudo se passa como nos dias daqueles que sepultamos.

15. As coisas permanecem exteriores às portas [de nosso ser], confinadas em si próprias, nada conhecendo de si mesmas nem nada declarando ou explicitando. O que, portanto, as declara ou explicita? A faculdade condutora.

---

6. No original, "Ὁ λόγος δὲ καὶ κοινὸν καὶ ἴδιον καρπὸν ἔχει" (*Ho lógos dè kaì koinòn kaì ídion karpòn ékhei*).

16. O mal e o bem de um animal racional e social não estão no que ele experimenta, mas em seus atos, como a virtude e o vício não estão para ele no que experimenta, mas em seus atos.

17. Quando uma pedra é arremessada no ar, não constitui um mal o fato de ela cair, tampouco constitui um bem o fato de ela ascender.

18. Inspeciona o íntimo deles em suas faculdades condutoras e verás que juízes te inspiram temor; no que diz respeito a eles próprios, que juízes são.

19. Todas as coisas estão em transformação. Tu próprio, inclusive, estás em contínua alteração e, sob alguns aspectos, também em um processo de corrupção; e o mesmo vale para a totalidade do mundo.

20. É preciso deixar o erro alheio atrás de si com aquele que o cometeu.

21. O fim de uma atividade, a cessação e algo como a morte de um impulso e [inclusive] de um parecer não são nenhum mal. Se passares agora para as faixas etárias, como a infância, a adolescência, a juventude, a velhice, verás, afinal, que aí também toda transformação é morte. Terrível? Passa agora à vida que tiveste com teu avô, em seguida com tua mãe, em seguida com teu pai. E ao descobrires muitas outras diferenciações, transformações e fins, pergunta a ti mesmo: isso é terrível? Assim, o que se conclui é que no tocante a cessações, fins e transformações de tua vida na totalidade, nada ocorrerá de diferente.

22. Agiliza o exame de tua própria faculdade condutora, bem como daquela do universo e a do teu semelhante. No caso da tua própria, para que tenhas a inteligência de torná-la justa; no caso daquela do universo, para que te lembres ao mesmo tempo daquilo de que és uma parte; no caso do teu semelhante, para que saibas se ele agiu de uma ou outra destas maneiras: na ignorância ou com conhecimento, de modo que possas simultaneamente calcular se [a faculdade condutora] dele tem afinidade com a tua.

23. Como és uma parte que ajuda a tornar um sistema social completo, faz toda ação tua ser uma parte integrante completa da vida social. Assim, qualquer ação tua que não tenha referência imediata ou remotamente ao fim social produz em tua vida uma ruptura violenta, impedindo que seja íntegra, e é de caráter sedicioso, como em uma assembleia popular, quando alguém age isoladamente e se distancia e se separa do consenso geral.

24. *Raiva de criança e jogos pueris, e míseros sopros vitais a erguer cadáveres, como se para conferir maior clareza à Evocação dos Mortos.*[7]

25. Atenta para a qualidade da *causa*,[8] examinando-a sob sua representação destituída de matéria; a seguir, considera também o tempo máximo de duração normal dessa qualidade particular.

26. Foram inúmeras as dificuldades e infelicidades que suportaste pelo fato de não teres te contentado com aquilo que a faculdade condutora, de acordo com tua constituição, a ti concedeu. Mas é o bastante.

27. Sempre que te acusarem, fizerem de ti objeto de ódio ou exteriorizarem distintamente esse tipo de coisa contra ti, acessa suas almas tacanhas, infiltra-te em seu íntimo e vê de que espécie são. Constatarás que é desnecessário atormentar-te com a opinião que esse tipo de indivíduo tem a teu respeito. Todavia, é necessário que sejas benevolente com eles; com efeito, de acordo com a natureza são teus amigos. Além disso, considera que os deuses lhes dão assistência de todas as maneiras, quer mediante sonhos, quer mediante respostas de oráculos; o objetivo dos deuses é permitir que, a despeito de sua conduta, consigam aquilo que é de seu interesse e lhes causa inquietação.

28. Os ciclos cósmicos são idênticos: para cima, para baixo, de era a era. Ou a inteligência universal se impulsiona a cada momento (pelo que deves aceitar, portanto, seu impulso), ou ela empreende de uma só vez o impulso e tudo o que resta resulta desse impulso como consequência, pois existe uma espécie de átomos ou partículas indivisíveis. Em síntese, se existe um poder divino, tudo se conduz para o bem; se tudo é obra do acaso, não ajas tu ao acaso.

Não tardará para que a terra cubra a todos nós, depois disso ela se transformará, ao passo que as coisas resultantes dessa transformação também se transformarão interminavelmente, em uma continuidade interminável. De fato, supondo que alguém pense nas transformações e alterações que, imitando o movimento agitado das ondas, se sucedem, bem como na celeridade disso, não deixará de desprezar tudo o que é mortal.

---

7. No original, "Παιδίων ὀργαί, καὶ παίγνια, καὶ πνευμάτια νεκροὺς βαστάζοντα, ὥστε ἐναργέστερον προσπεσεῖν τὸ τῆς Νεκυίας." (*Paidíon orgaí, kaì paígnia, kaì pneymátia nekroỳs bastázonta, hóste enargésteron prospeseîn tò tês Nekyías*). Marco Aurélio menciona o título do canto XI da *Odisseia*, de Homero.

8. No original, "αἰτίου" (*aitíoy*). O contexto, no entanto, sugere forma e não causa.

29. A causa do universo assemelha-se a uma torrente: transporta tudo. Mas quão vulgares são essas pessoas que se ocupam de assuntos políticos e que, como supõem, se fazem de sábios! Não passam de completos basbaques. Ora, então, homem, faz o que a natureza reclama agora. Move-te, se o puderes, e evita olhar ao redor em busca de quem o observe. Evita esperar a República de Platão, mas contenta-te com o sucesso da mais ínfima entre as coisas, concebendo esse resultado como não sendo de pouca importância. Afinal, quem é capaz de mudar os princípios das pessoas? E, entretanto, sem uma mudança dos princípios, o que resta senão a escravidão daqueles que se põem a lamentar enquanto fingem deixar-se persuadir? Vai agora e menciona-me Alexandre, Filipe e Demétrio, o faleriano.[9] O que importa é se souberam discernir a vontade da natureza comum e se realizaram a educação de si mesmos; se, porém, interpretaram papéis trágicos ou agiram como atores trágicos, que ninguém me condene a imitá-los. *A obra da filosofia é simples e discreta*;[10] não me conduzam, desviando-me do caminho, rumo à vaidade.

30. Observa de uma posição elevada o sem-número de rebanhos, o sem-número de cerimônias de iniciação ou religiosas, as diversas travessias marítimas sob as tormentas ou em meio a calmaria, e os variados seres vivos que nascem, convivem entre si e morrem. Reflete, inclusive, na vida que outros seres vivos tiveram outrora, naquela que ocorrerá depois de ti, bem como naquela que transcorre atualmente entre as raças de bárbaros; quantos desconhecem teu nome, quantos com máxima rapidez te esquecerão, quantos que hoje, fazendo de ti talvez objeto de louvor, virão com suma brevidade a cobrir-te de censuras! E como não merecem menção a lembrança, a fama e, enfim, todo o resto!

31. Serenidade diante dos acontecimentos causados por fatores externos; justiça nos atos causados por ti, pelos quais és responsável, isto é, fazer que impulsos e ações resultem em uma conduta que tenha cunho social, no entendimento de que isso é para ti em consonância com a natureza.

---

9. Filipe II (382 a.C.-336 a.C.), rei da Macedônia e pai de Alexandre. Demétrio, o faleriano, após a conquista da Grécia, foi governador de Atenas por ordem de Filipe II.
10. No original, "Ἁπλοῦν ἐστι καὶ αἰδῆμον τὸ φιλοσοφίας ἔργον" (*Haployn esti kaì aidêmon tò philosophías érgon*).

32. Aquelas muitas coisas que te causam aborrecimento e que são para ti excessivas ou supérfluas tu as pode eliminar na medida em que todas residem no teu modo de pensar; e fornecerás a ti mesmo um amplo espaço livre, caso tua inteligência abarque o mundo inteiro, caso penses na eternidade do tempo, caso ponderes sobre a célere transformação de cada coisa considerada em sua condição de parte, sobre como é curto o período da geração até a dissolução, sobre o vazio que antecedeu a geração, assim como o infinito que igualmente virá depois da dissolução.

33. Todas as coisas que vês com suma rapidez serão aniquiladas, bem como com suma rapidez serão aniquilados os expectadores desse aniquilamento. Ademais, o indivíduo que morre como um macróbio, ou seja, muito velho, será instalado em um estado igual ao daquele indivíduo que morreu prematuramente.

34. Quais princípios os orientam, o que visam e o que os leva a amar ou a respeitar? É a olho nu que deves acostumar-te a observar suas precárias almas. Quanta presunção pensarem que te causam danos arrojando censuras a ti ou que te prestam ajuda entoando cantos ou hinos em teu louvor!

35. A perda [da vida] não passa de uma transformação. A natureza do universo com isso se agrada, e é de acordo com ela que todas as coisas passam a existir de maneira positiva, que analogamente vieram a existir desde a eternidade e que, assim, virão a existir sob distintas formas ao infinito. Qual a razão, portanto, de dizeres que todas as coisas sempre passaram a existir de maneira negativa e que, assim, nenhuma potência em meio a tantos deuses jamais descobriu como corrigi-lo, estando, ao contrário, o mundo condenado a estar sob o domínio de males contínuos?

36. A decomposição da matéria, fundamento de cada um dos seres, produz água, cinzas, precários ossos, fetidez; por outro lado, os mármores são as concreções da terra; o ouro e a prata são os sedimentos; as vestimentas são os cabelos; a púrpura é o sangue, e assim por diante em relação a todas as demais coisas. O mesmo vale para o sopro vital, que transita deste para aquele ser.

37. *Basta de uma vida infeliz, de murmúrio e de macaquice!*[11] Qual o motivo da perturbação? O que há nisso de novo? O que é que te deixa

---

11. No original, "Ἅλις τοῦ ἀθλίου βίου, καὶ γογγυσμοῦ, καὶ πιθηκισμοῦ." (*Hális toŷ athlíoy bíoy, kaì goggysmoŷ, kaì pithekismoŷ*).

fora de si? A *causa*?[12] Submete-a a exame. Mas será a matéria? Submete-a a exame. Nada existe fora disso. Entretanto, para com os deuses desde já te torna mais simples e mais honesto e dedicado.

Nesse caso, é indiferente haver investigado as coisas no desenrolar de cem anos ou durante o período de três anos.

38. Se ele errou, é nele que reside o mal. Pode ser, porém, que ele não tenha errado.

39. Ou tudo se origina de uma única fonte inteligente, como no caso de um corpo uno, dispensando a parte de manifestar reprovação ou reclamar do que sucede em favor do universo, ou existe apenas átomos e, ademais, nada exceto desordem e dispersão. Sendo assim, qual a razão de te perturbares? Diz a tua faculdade condutora: estás morta, aniquilada, corrompida, embrutecida, reduzida à simulação e a ser um animal de rebanho que pasta.

40. Ou os deuses carecem de qualquer poder, ou possuem algum poder. Se não o possuem, por que tuas súplicas? Se, entretanto, possuem algum, por que em lugar de lhes suplicar a concessão de uma coisa ou outra, não te dispões a lhes orar suplicando que te concedam o completo destemor diante das coisas, que não sejas tomado pelo desejo por alguma delas nem venhas a sofrer ou afligir-te por causa de alguma delas? Se, afinal, eles têm o poder de amparar de todas as formas os seres humanos, também podem ampará-los nisso. Mas dirás, talvez: "Os deuses produziram as coisas para ficarem sob meu controle". Ora, não seria melhor servir-se livremente daquilo que se acha sob teu controle do que assumires uma postura vil e tacanha ante aquilo que não está sob teu controle? E quem te disse que os deuses não nos amparam, inclusive, naquilo que está sob nosso controle? Começa por fazer tuas preces nesse sentido e verás o resultado. Aquele indivíduo ora expressando um anseio: "Pudesse eu dormir com aquela pessoa!". E tu: "Pudesse eu não desejar dormir com aquela pessoa!". Outro indivíduo: "Pudesse eu livrar-me daquela pessoa!". Tu: "Pudesse eu não precisar me livrar daquela pessoa!". Outro: "Pudesse eu não perder meu filho!". Tu: "Pudesse eu não temer perder meu filho!". Para resumir: age desse modo, reorientando tuas orações, e observa o que acontece.

---

12. No original, "αἴτιον" (*aítion*). O contexto, no entanto, sugere forma.

41. Diz Epicuro: "Na doença, não conversava sobre as minhas aflições do corpo, nem, diz ele, ficava a tagarelar insistentemente acerca disso com aqueles que me visitavam; mas prosseguia, como antes, a discorrer a respeito das coisas da natureza, concentrando-me no fato de como a inteligência, ao tomar parte dessas agitações que afetam a carne em sua precariedade não se perturba, conservando o bem que lhe é característico. Nem aos médicos, diz ele, proporcionei a oportunidade de exibirem o seu orgulho, como se estivessem fazendo grande coisa, mas minha vida permaneceu boa, nobre e feliz".[13] E se tu adoeceres, que adotes na doença essa mesma postura, bem como em outras tantas situações; com efeito, não se afastar da filosofia, separando-se dela, não importa quais acontecimentos venham a suceder, nem participar da tagarelice dos ignorantes e daqueles que não investigam a natureza são pontos comuns de todas as orientações filosóficas, como também é restringir-se ao que nos ocupa no presente e ao instrumento que é empregado para essa ocupação.

42. Toda vez que te converteres no objeto de impudência de alguma pessoa, sendo assim ofendido, procura informar-te imediatamente indagando a ti mesmo: "Seria possível, então, no mundo não existir impudentes?". Não seria possível. Portanto, não exijas o impossível, porquanto um daqueles impudentes que inevitavelmente existem no mundo é essa pessoa. Permanece, pois, pronto para a mesma atitude, fazendo-te idêntica indagação ao topares com o astucioso ou velhaco, com o indivíduo que não é digno de confiança e com toda espécie de ofensor. Com efeito, tu te tornarás mais benevolente no trato desse tipo de gente se te recordares, ao mesmo tempo, que sua inexistência é impossível. Revela-se positivamente útil pensares de imediato na virtude que de algum modo foi dada pela natureza ao ser humano, a fim de compensar o erro ou mal com o qual topas. De fato, na qualidade de antídoto contra a insensibilidade ou a ingratidão, ao ser humano foi concedida a bondade, em outro lugar lhe foi oferecida uma capacidade que se opõe à outra [falha]. Em síntese, está em teu poder instruir de alguma outra maneira aqueles que estão desorientados; com efeito, todo aquele que incorre em erro perde a meta a que se propôs e se desorienta. Ademais, qual o dano a ti causado? De fato, não há como topares com nenhum desses indivíduos

---

13. Cf. Epicuro, fragmento 191, Usener.

que causam tua cólera que seja capaz de prejudicar-te a ponto de tornar tua inteligência pior que era; e no que diz respeito a ti, o fundamento tanto do mal quanto do dano reside somente aí. Será algo funesto ou estranho o fato de um ignorante agir como ignorante? Observa se não é o caso de deveres, pelo contrário, censurar a ti mesmo por tua imprevidência quanto ao erro cometido por esse tipo de indivíduo. Com efeito, de tua razão obtiveste motivos para conceber a probabilidade desse erro por parte desse indivíduo e, no entanto, visando condená-lo ao esquecimento, tu te espantas diante do fato de ter ele cometido o erro. É principalmente quando diriges tua reprovação a alguém por sua perfídia ou ingratidão o momento de te voltares para ti próprio. Com efeito, presumires que alguém detentor de tal disposição se manteria digno de confiança, ou que lhe prestando um favor não o estarias fazendo sem reservas nem de modo a subtrair de imediato da tua própria ação todo o seu produto, constitui clara e flagrantemente erro teu. Afinal, se fizeste o bem a uma pessoa o que queres a mais? Não te contentas em teres agido de acordo com a natureza, buscando adicionalmente uma remuneração? Como se o olho exigisse uma recompensa para ver ou os pés para andar. De fato, como eles foram criados para realizar determinado trabalho, de forma que atuando de acordo com sua constituição característica cumprem a função que lhes é característica, o ser humano igualmente, que nasceu naturalmente para ser *benfeitor*,[14] ao praticar algum bem, ou de outro modo prestar auxílio nas coisas comuns e prosaicas, tem uma conduta que se coaduna com sua constituição e atinge sua própria meta.

---

14. No original, "εὐεργετικὸς" (*eyergetikòs*).

LIVRO X

1. Ó alma, serás tu algum dia boa, simples, una e despojada, mais manifesta do que o corpo que te envolve? Serás algum dia capaz de saborear a disposição que leva a amar e a afeiçoar-se com ternura? Serás algum dia plenamente satisfeita, carente de coisa alguma, destituída de desejo, indiferente a qualquer apetite, sem ter de extrair os prazeres do que é animado ou do que é inanimado? Sem, a fim de torná-los mais duradouros, ter de extraí-los do tempo? Ou de um lugar, de uma região, de um ar propício ou de um feliz acordo com as pessoas? Mas te contentarás com a condição atual, te rejubilarás com todas as coisas presentes, te deixarás persuadir que tudo está a tua disposição, que tudo corre bem para ti, que tudo tem os deuses como sua origem, que caminha bem, e que tudo que agrada a ti conceder no futuro é para a preservação do ser vivo completo, bom, justo, nobre e belo, que gera, conserva, encerra e abarca tudo a ser submetido à dissolução com o objetivo de gerar outros seres semelhantes? Serás algum dia isso, ou seja, algo que te possibilite ser concidadão entre deuses e seres humanos, em uma condição em que não tenhas acusações a fazer contra eles nem te tornes objeto de suas acusações?

2. Observa atentamente o que a tua natureza busca, visto que és controlado unicamente pela natureza; em seguida, faz o que tens a fazer e permita-o se tua natureza, considerando que és um animal, não for com isso piorada. Deves, a seguir, observar atentamente o que busca tua natureza como um animal. E tudo isso podes acolher desde que a natureza, considerando que és um animal racional, não se torne, em função disso, pior. Mas o animal racional é também de imediato animal social. Faz uso dessas regras sem te preocupares com nada mais.

3. Tudo aquilo que ocorre simplesmente se dá como algo que és capaz de suportar naturalmente ou como algo que não és capaz de suportar naturalmente. Se és atingido por um acontecimento que és capaz de suportar naturalmente, não fiques contrariado com isso; mas na medida

de tua capacidade natural, suporta-o. Se, entretanto, ocorre a ti o que não podes naturalmente suportar, [também] não fiques contrariado com isso, uma vez que te atingirá para depois levar a si mesmo à destruição. Lembra-te, todavia, que tua capacidade de suportar naturalmente abrange tudo o que tua opinião está capacitada a tornar suportável e tolerável se te apoiares na ideia de que é para ti vantajoso ou que constitui teu dever firmar-te nessa conduta.

4. Se alguém se engana, ensina-o com benevolência e indica-lhe seu erro ou negligência. Na hipótese de não estares capacitado para fazer isso, responsabiliza a ti próprio, ou nem mesmo a ti próprio.

5. Aquilo que a ti acontece já estava de antemão reservado para ti desde a eternidade; ademais, o entrelaçamento das causas que constitui a trama do destino uniu tua substância e o eventual desde toda a eternidade.

6. Seja [o universo um ajuntamento de] átomos, seja a natureza [um conjunto], que se estabeleça primeiramente que sou uma parte do universo sob o controle da natureza; em seguida, de algum modo estou estreitamente aparentado às partes que são de minha mesma espécie. Com efeito, se manter isso em minha memória, na medida em que sou uma parte, não me descontentarei com nada que seja a mim atribuído do universo como meu quinhão, pois tudo o que é vantajoso ao universo em nada prejudica a parte. De fato, não há no universo o que não seja vantajoso a ele próprio. Todas as naturezas participam disso, ou seja, têm isso em comum; é, porém, prerrogativa do mundo não sofrer constrangimento de nenhuma causa externa, o que poderia produzir algo que lhe fosse danoso. A lembrança de que sou parte do universo leva a contentar-me com todos os acontecimentos. Enquanto aparentado às partes que se assemelham a mim, nada faço que seja de caráter não comunitário ou antissocial, mas, antes, tenho em vista meus semelhantes e dedico todos os meus esforços e ações ao interesse comum, desviando-os daquilo que se opõe a ele. Levado isso a cabo, a vida necessariamente decorrerá fácil e feliz, como conceberias que decorreria fácil e feliz a vida de um cidadão durante a vida devotado a uma conduta útil a seus concidadãos e zeloso acolhedor daquilo que o Estado a ele concedesse como seu quinhão.

7. As partes do universo, tudo aquilo que o mundo naturalmente abarca, necessariamente perecerão. Mas que se entenda que por meio de mudança. Se, porém, isso fosse naturalmente para as partes tanto

um mal como uma necessidade, o universo não se conduziria bem a seu termo, estando as partes sujeitas à alteração e condenadas a perecer diferentemente em razão de sua constituição. Com efeito, uma de duas: ou a própria natureza concebeu fazer o mal a suas próprias partes, expô-las ao mal e necessariamente levá-las a cair no mal, ou essas coisas ocorreram sem estar ela ciente disso! Com efeito, ambas as hipóteses não são convincentes ou críveis. Se alguém, todavia, omitindo a natureza, concebesse terem sido as coisas assim formadas, incorreria no ridículo sua afirmação de que as partes do universo são formadas para se transformar; ao mesmo tempo se espanta com isso, como se fosse algum evento que não se harmoniza com a natureza, ou se sente contrariado com isso, particularmente no caso de uma dissolução conduzir a sua origem esses mesmos elementos dos quais cada coisa foi formada. Afinal, ou se trata de uma dispersão dos elementos com base nos quais ocorreu a formação, ou de uma conversão daquilo que é sólido naquilo que é de natureza telúrica, daquilo que é eólico naquilo que é de natureza aérea, de maneira que há uma retomada desses elementos na razão do universo, quer porque este é consumido a cada período pelo fogo, quer porque se restaura graças a transformações que ocorrem perpetuamente. Ademais, no que se refere ao que é sólido e ao que é de natureza eólica, não imagines que pertencem a uma geração primária. Tudo isso, de fato, flui dos alimentos ingeridos e do ar respirado *ontem e anteontem*.[1] Portanto, o que se transforma é o que é apreendido, tomado, absorvido, não o que a matriz gerou. Mesmo em tua hipótese de que esses elementos adquiridos e incorporados te associem intensamente ao que particularmente és, nada existe nisso, eu o suponho, a se opor ao que acabo de dizer.

8. Quando admitires os nomes de *bom, reservado, verdadeiro, sensato, resignado, magnânimo*,[2] atenta no sentido de não os alterar; e na hipótese de perder esses nomes, apressa-te no retorno a eles. Lembra-te de que a palavra *sensato* tinha o propósito de significar para ti a atenção discriminadora minuciosa com cada coisa e a ausência da distração; e que a palavra *resignado* referia-se à aceitação voluntária daquilo que a ti

---

1. No original, "ἐχθὲς καὶ τρίτην ἡμέραν" (*ekhthès kaì tríten heméran*).
2. No original, "ἀγαθός, αἰδήμων, ἀληθής, ἔμφρων, σύμφρων, ὑπέρφρων" (*agathós, aidémon, alethés, émphron, sýmphron, hypérphron*).

é atribuído pela natureza comum na qualidade de teu quinhão; quanto a *magnânimo*, era a elevação da parte que pensa acima da agitação regular ou irregular da carne, da glória tacanha, da morte e de todas as coisas que com estas guardam semelhança. Se, portanto, conservas a ti mesmo senhor desses nomes, não ansiando ser chamado por eles pelos outros, serás outro ser humano e ingressarás em outra vida. Com efeito, permanecer sendo o que foste até agora, a somar-se a ser dilacerado e maculado em tal vida, seria a postura de alguém estúpido e excessivamente apegado à vida, além de comparável à condição daqueles que, lutando com feras, estando já parcialmente devorados, os corpos cobertos de ferimentos e sangue misturado à poeira, suplicam, todavia, que sejam mantidos até o dia seguinte, quando serão colocados, em idêntica situação, diante das mesmas garras e mordidas. A conclusão é: *embarca*[3] em alguns desses nomes. Do mesmo modo, se fores capaz de fixar-te neles, aí permanece como se tivesse sido transportado a *certas ilhas dos bem-aventurados*;[4] se, porém, sentes que não estás obtendo êxito e que deixaste de deter o controle, parte resolutamente rumo a algum canto onde possas reconquistar o domínio, ou, [em último caso], com a disposição de uma pessoa emocionalmente equilibrada, com simplicidade e com a postura de um indivíduo livre que o faz com discrição, *sai inteiramente da vida*,[5] tendo sido somente esta a ação positiva de tua vida, a saber, sair dela desse modo. Entretanto, o que contribuirá grandemente para te lembrares desses nomes é te lembrares dos deuses e não te esqueceres de que não são lisonjas nem bajulações o que querem, a sua vontade sendo, diferentemente, que todas as criaturas racionais se empenhem em se assemelharem a eles; ademais, é vontade deles que a figueira realize o que é próprio da figueira, que o cão realize o que é próprio do cão, que a abelha realize o que é próprio da abelha e que o ser humano realize o que é próprio do ser humano.

---

3. No original, "Ἐμβίβασον" (*Embíbason*).
4. No original, "μακάρων τινὰς νήσους" (*makáron tinàs nésoys*). Alusão às ilhas para onde iam os heróis caros aos deuses após sua morte ou que haviam ganhado a imortalidade dos deuses. As almas desses heróis não baixavam ao Hades (mundo subterrâneo dos mortos).
5. No original, "παντάπασιν ἔξιθι τοῦ βίου" (*pantápasin éxithi toŷ bíoy*). Trata-se de um eufemismo (já empregado anteriormente por Marco Aurélio, sem a ênfase do advérbio) que sugere alguma forma, direta ou indireta, de suicídio.

9. Os princípios sagrados para os quais não concebes uma causa natural e aos quais não dás atenção serão dia a dia extinguidos por uma *mima*,[6] uma guerra, um pavor, um entorpecimento, uma escravidão. No que diz respeito a tudo, é indispensável observar e ter uma conduta de modo a superar as circunstâncias embaraçosas, ao mesmo tempo unir o teórico e o prático e preservar com base no conhecimento de cada coisa uma orgulhosa autoconfiança ou ousadia, mas isso em segredo, e não dissimuladamente. Quando, afinal, extrairás prazer da simplicidade? Quando extrairás prazer da seriedade? Quando passarás a conhecer cada coisa em particular, do que é em sua essência, do lugar que ocupa no mundo, por quanto tempo subsistirá segundo o que lhe reserva a natureza, com base no que é composta, a quem é capaz de se disponibilizar e servir e quem é capaz de dá-la ou subtraí-la?

10. Ao capturar uma mosca, uma aranha sente-se orgulhosa, como também uma pessoa ao capturar uma pequena lebre, outra ao apanhar na rede uma sardinha, outra depois de haver capturado um pequeno javali, outra ao capturar um urso e outra ao capturar sármatas.[7] Mas, afinal, se examinares com cuidado os princípios dessas pessoas, não são *bandidos*?[8]

11. Visando especular como todas as coisas transformam-se entre si, obtém para ti um método, baseia-te nele continuamente e empenha-te no que se refere a isso. Com efeito, nada é melhor do que esse procedimento para produzir a elevação dos sentimentos. Uma vez o indivíduo privado de seu corpo, percebe que logo terá de abandonar tudo e afastar-se do convívio dos seres humanos, elevando-se por completo até a justiça no momento em que sua ação é exigida, [e] mergulhado no seio de outras eventualidades ao se dirigir à natureza do universo. Quanto ao que dirão ou opinarão sobre ele, ou o que farão contra ele, é algo que não lhe vem à mente, bastando-lhe duas coisas, nomeadamente, praticar com justiça a ação que lhe cabe agora praticar e acolher amorosamente o que lhe é agora destinado como quinhão; livre de todas as ocupações, preocupações e esforços prementes, tudo o que quer é levar a cabo o

---

6. No original, "Μῖμος" (*Mîmos*). Gênero de comédia concebido por Sófron de Siracusa.
7. Membros da tribo de um povo germânico hostil ao Império Romano.
8. No original, "λησταί" (*leistaí*).

que é do interesse da lei pela via reta e seguir o deus que tudo consuma pela via reta.

12. Para que se servir de hipóteses quando se pode ter em vista o que é necessário realizar? E se tu podes discerni-lo, por que não avançar de maneira afável e benevolente, inclusive sem olhar para trás? Mas se não há como discerni-lo, o que te impede de deter-se e fazer uso dos melhores conselheiros? Se, porém, existem outras coisas a oferecer resistência, avança de acordo com os recursos que se apresentam em uma ponderada adesão ao que se revela justo. Obter sucesso nisso é o que há de mais excelente, enquanto o grande fracasso consiste em não o atingir. Aquele que em tudo segue a razão é, ao mesmo tempo, calmo e flexível e, ao mesmo tempo, radiante e sério.

13. Logo que despertares, dirige a ti a pergunta: "Para que pratiques o que é justo e nobre, fará diferença seres elogiado ou não por outras pessoas?". Não fará diferença. Será que esqueceste como essa gente que adota uma postura arrogante tecendo louvores ou fazendo censuras aos outros se comporta em suas camas como se comporta à mesa; o que faz, do que se esquiva, o que busca, o que rouba, do que se apodera à força, não com as mãos ou os pés, mas com a parte mais honrada de si, aquela parte da qual, quando se quer, se originam a boa-fé, a discrição, a verdade, a lei, a boa divindade tutelar?

14. Àquela que tudo dá e tudo toma de volta, a natureza, a pessoa educada e reservada diz: "Dá o que queres e toma de volta o que queres". E não o diz com altivez, mas somente com obediência e albergando bons sentimentos com referência à natureza.

15. Pouco tempo te resta. Vive como se estivesses em uma montanha, porquanto não faz nenhuma diferença estares aqui ou lá na hipótese de viveres no mundo como em uma sociedade. É de se esperar que os seres humanos vejam e observem uma pessoa a viver em autêntico acordo com a natureza. Se essa visão é para eles insuportável, que te matem! De fato, melhor isso do que viver como eles.

16. Não se trata mais, em absoluto, da discussão em torno do que deve ser o homem bom, mas sim de ser o homem bom.

17. A totalidade do tempo e a totalidade da substância constituem uma ideia que deves ter em mente constantemente; deves também ter em mente de modo constante que todas as coisas, na qualidade de partes,

são *para a substância como sementes de figo; são para o tempo como giros de uma verruma.*[9]

18. Ao deter-te diante de cada coisa que se apresenta sob teu olhar, pensa que já se encontra em processo de dissolução, que está em transformação e como que em processo de putrefação ou dispersão, ou, alternativamente, que cada coisa nasce e se desenvolve para perecer.

19. Considera o que são quando comem, dormem, copulam, defecam e assim por diante. Em seguida, considera-os ao ostentarem um ar de masculinidade, ao desfilarem orgulhosos, ao te desagradarem e te ferirem com sua superioridade e prepotência. Pouco antes, quantos não eram escravos e como eram submetidos! E não tardará para serem reduzidos a idêntico estado.

20. A cada um é proveitoso aquilo que a natureza do universo traz para cada um. E lhe é proveitoso desde o instante que a natureza do universo o traz.

21. "A terra ama a chuva, bem como ama o augusto éter";[10] e o mundo ama criar os acontecimentos futuros. Assim, digo ao mundo: amo contigo o que amas. Não se diz algo idêntico de uma coisa, ou seja, que ela ama acontecer?

22. Ou vives naquele lugar e com ele já estás acostumado, ou te encaminhas para fora dele, sendo isso o que quiseste, ou morres e assim tua tarefa está encerrada. Além disso, nada existe. Portanto, encoraja-te.

23. Que seja sempre evidente para ti que aquela região rural é semelhante a esta região rural; vê, ademais, que tudo o que existe aqui é o mesmo que pode ser encontrado em outro lugar, seja na região rural, seja naquela montanhosa, seja junto ao mar, seja em qualquer lugar que quiseres. De fato, encontras isso abertamente em Platão: circundado no interior de um recinto fechado, na montanha, ele diz, e ordenhando animais que balem.[11]

24. O que é para mim minha faculdade condutora? E o que faço dela agora? E para que a emprego agora? Não é ela destituída de inteligência?

---

9. No original, "ὡς μὲν πρὸς οὐσίαν, κεγχραμίς· ὡς δὲ πρὸς χρόνον, τρυπάνου περιστροφή." (*hos mèn pròs oysían, kegkhramís· hos dè pròs khrónon, trypánoy peristrophé.*).
10. A passagem é de Eurípides, fragmento 898, Nauck.
11. Citação adaptada e bastante parcial de Platão, *Teeteto*, 174d-e.

Não é desconectada e arrancada da comunidade? Não é aplicada e mesclada à carne débil, resultando no fato de ela acompanhar suas agitações?

25. É um fugitivo aquele que foge de seu senhor; a considerar que é a lei o nosso senhor, também é fugitivo o indivíduo cuja conduta contraria a lei. Mas, igualmente, é fugitivo aquele cuja dor ou aflição, cuja ira ou medo fazem que não queira que algo tenha acontecido, aconteça ou venha a acontecer em consonância com o que foi ordenado pela administradora de todas as coisas, isto é, a lei dispensadora de tudo o que acontece a cada um. Assim, é fugitivo o indivíduo que se rende ao medo, à dor ou à aflição, ou à ira.

26. Uma vez depositada uma semente em uma matriz, [o macho] se afasta, e então outra causa assume o controle, põe-se a trabalhar e produz o rebento. Tal pai, tal filho! O filho, por sua vez, recebe alimento pela garganta, e então outra causa assume o controle, produzindo sensação, instinto, em síntese, vida, força e tantas outras coisas semelhantes. Observa, portanto, esses processos que ocorrem ocultamente; atenta, também, para o poder que detêm, como atentamos para o poder responsável pela queda dos objetos pesados, ou aquele responsável por impulsioná-los em um movimento ascendente, não mediante os olhos, mas nem por isso com menor clareza.

27. Não pares de refletir em como tudo o que acontece agora aconteceu do mesmo modo no passado; reflete que assim acontecerá no futuro. Coloca, ademais, diante de teus olhos todos os dramas e cenas de idêntica espécie, todos dos que vieste saber por tua experiência ou legados pelas histórias mais antigas, como de toda a corte de Adriano, toda a corte de Antonino, toda a corte de Filipe, de Alexandre e de Creso.[12] Todos esses dramas e essas cenas foram idênticos, apenas com a diferença de terem sido protagonizados por pessoas distintas.

28. Imagina todo aquele que, ante os acontecimentos que o atingem, se angustia ou se revolta à semelhança de um leitão a espernear e berrar ao ser abatido. O mesmo vale para aquele que, deitado em um pequeno leito, no que toca a nossas dificuldades ou obstáculos, os lamenta sozinho e silenciosamente. Convém pensares também que foi concedido com exclusividade ao ser vivo racional a liberdade de se

---

12. Creso (*circa* de 560 a.C.) foi rei da Lídia (Turquia), famoso por sua imensa riqueza.

submeter voluntariamente aos acontecimentos, ao passo que para todos [os demais] submeter-se a eles constitui pura e simplesmente uma necessidade inescapável.

29. Tem em mente e indaga a ti mesmo por ocasião de cada ação que realizas se a morte é terrível, isso porque te verás privado de agir por intermédio dela nessa situação em particular.

30. Sempre que fores ofendido por conta de algum erro alheio, põe-te imediatamente no lugar da pessoa e ponderes se não incorres em um erro que guarda alguma semelhança com o erro dela, por exemplo, julgando ser um bem coisas como dinheiro, prazer, glórias medíocres e outras de mesmo feitio. Com efeito, se te fixares nessa atitude, esquecerás e superarás depressa tua cólera, desde que ao mesmo tempo te ocorra o seguinte: foi constrangida a isso. O que afinal podia fazer? Ou, se tiveres capacidade para tanto, suprime aquilo que a constrange.

31. Ao contemplares Satíron, imagina-te um socrático, ou Eutíques, ou Hímen; ao contemplares Eufrates, imagina-te Eutíquion, ou Silvano; ao contemplares Alcífron, imagina-te Tropaióforo; e ao contemplares Xenofonte, imagina-te Críton ou Severo.[13] Depois, ao contemplares a ti mesmo, imagina-te como algum dos césares, e no que se refere a toda pessoa, age de modo análogo. Na sequência, pode te ocorrer a seguinte pergunta: "Então onde se encontram?". Em nenhum lugar ou em um lugar qualquer. Dessa forma, realmente, não cessarás de ver que as coisas humanas não passam de fumaça e nulidade, principalmente, se ao mesmo tempo te vier à memória que aquilo que foi uma vez transformado jamais estará na infinidade temporal. Nesse caso, por que despendes tantos esforços? Por que não te contentas em percorrer decentemente a curta estrada de tua existência? Que matéria e que fundamento motivam tua fuga? Com efeito, o que é tudo isso senão exercícios de ginástica para uma razão que fixa o olhar com exatidão naquilo que se desenrola na vida e, ademais, segundo a filosofia da natureza? Assim, insiste até o ponto em que estarás familiarizado com essas noções, como o estômago vigoroso se familiariza com todas as coisas, como o fogo radiante cria a chama e a luz brilhante daquilo que nele lanças.

---

13. Desses nomes, os únicos fácil e seguramente reconhecíveis são os de Xenofonte e Críton, contemporâneos de Sócrates e seus amigos.

32. Que não seja possível dizerem acerca de ti, e o dizerem com base na verdade, que não és simples ou que não és bom. Mas que possa ser classificada como mentirosa qualquer pessoa que sobre ti alimente tal parecer. Tudo isso depende de ti. O que, afinal, constitui para ti obstáculo para seres bom e simples? Cabe a ti apenas decidir não viveres mais se não fores assim. De fato, se não és alguém com tais qualidades, nem há da parte da razão a preferência para que vivas mais.

33. No que toca a essa matéria, é possível realizar ou dizer o que está de acordo com a mais íntegra razão? Com efeito, em caso afirmativo ou não, é possível realizá-la ou dizê-la; e não apresentes um pretexto de que és tolhido para tanto.

Tu não interromperás tuas lamentações até experimentares o sentimento de que aquilo que é para os sensuais uma vida de gozo é o que deves realizar, no que diz respeito a se expor às circunstâncias, o que é próprio à constituição humana; de fato, é preciso acolher na qualidade de um gozo tudo o que podes executar segundo a tua natureza particular. Isso é para ti possível em todos os lugares. A um cilindro não é concedida a possibilidade de se mover [livremente] por toda parte em um movimento que lhe é característico, tampouco é concedida tal possibilidade à água, ao fogo nem a todas as outras coisas que controlam uma natureza ou uma alma destituída de razão. Com efeito, são muitos os obstáculos que fazem oposição a eles. *Inteligência e razão*,[14] entretanto, são capazes de passar por qualquer obstáculo que topem pelo caminho, isso em função de sua natureza e vontade. Coloca diante dos olhos a facilidade que faculta à razão atravessar todas as coisas que lhe oferecem resistência, bem como ao fogo executar o movimento ascendente e à pedra o movimento descendente, ao cilindro deslizar ladeira abaixo, e encerra tuas buscas. Com efeito, quanto a todos os obstáculos que restam, ou dizem respeito ao corpo, cadáver, ou (exceto no caso de uma opinião apresentada e uma concessão da própria razão) são impotentes no que diz respeito a causar mal ou a produzir lesões, a não ser que aquele que os sofresse já houvesse se tornado imediatamente atingido pelo mal. No que se refere a todos os demais seres constituídos distintamente, se atingidos por algum mal, o indivíduo que o sofre ficará pior; aqui, se é que é

---

14. No original, "Νοῦς δὲ καὶ λόγος" (*Noỹs dè kaì lógos*).

necessário dizê-lo, o ser humano que souber tirar o mais corretamente proveito dos obstáculos é o que se tornará o maior alvo dos louvores. Em síntese, lembra que nada que seja incapaz de causar danos ao Estado é capaz de causar dano ao *cidadão natural*[15] e que nada que seja incapaz de causar danos à lei é capaz de causar dano ao Estado; bem, a considerar esses pretensos infortúnios, nenhum causa danos à lei. Portanto, o que não causa danos à lei não o causa nem ao Estado nem ao cidadão.

34. *À pessoa que foi mordida pelos princípios verdadeiros,*[16] basta a mais breve e a mais reiterada palavra para recordá-la a conservar-se sem dor, sem aflição, sem medo. Por exemplo:

Folhas agitadas pelo vento sobre a terra...
....
Assim são as gerações dos homens.[17]

Teus filhos também são pequenas folhas; também são pequenas folhas os indivíduos que fazem sinceramente de ti objeto de aclamação e de glorificação, ou que, pelo contrário, fazem de ti objeto de maldição, ou que te reprovam em segredo e fazem de ti objeto de zombaria. Igualmente são pequenas folhas os que herdarão tua fama após tua morte. Com efeito, todas nascem com a sequência da primavera; depois o vento as derruba; o bosque, então, faz outras nascerem e crescerem, e estas as substituirão. A efemeridade é o que há de comum em todas as coisas. Tu, porém, como se tudo devesse ser eterno, foges e te manténs em busca de tudo. Mais algum tempo e terás cerrado os olhos; e aquele que te sepultará logo terá alguém a entoar o canto fúnebre para si.

35. É necessário que um olho sadio veja todas as coisas visíveis e que não diga: quero coisas de um verde-amarelado, pois esse é o caso de alguém com oftalmia. E é necessário que a audição e a olfação sadias estejam a postos para tudo o que seja [respectivamente] suscetível de ser ouvido e suscetível de ser cheirado. O mesmo se aplica ao estômago

---

15. No original, "φύσει πολίτην" (*phýsei políten*).
16. No original, "Τῷ τεθηγμένῳ ὑπὸ τῶν ἀληθῶν δογμάτων" (*Tôi tethegménoi hypò tôn alethôn dogmáton*).
17. Cf. Homero, *Ilíada*, VI, 146-147.

sadio ao respeitar a todos os alimentos, como a mó com respeito a todas as coisas que lhe são destinadas para moer. E, portanto, é necessário que a inteligência sadia esteja a postos diante dos acontecimentos. Aquela, porém, que diz "Que meus filhos sejam salvos!" ou "Que eu seja louvado por todos independentemente do que eu faça" é um olho que busca o verde-amarelado, ou dentes que buscam o que é tenro.

36. Ninguém foi aquinhoado com uma tal felicidade a ponto de, por ocasião de sua morte, não ter a seu lado presentes algumas pessoas que acolhem efusivamente o mal que lhe acontece. Ele era honesto e sábio, mas na hora derradeira não deixará de existir alguém que diga para si: "Enfim poderemos respirar sem esse preceptor por perto. Ele não era um incômodo para nenhum de nós, mas eu sentia que em segredo nos via de um modo desfavorável". É isso, portanto, que comentarão sobre o indivíduo honesto. Todavia, no que diz respeito a nós, quantas outras razões há para muitos desejarem livrar-se de nós! Assim, é isso que deverá ocupar tua mente em teu leito de morte, e partirás mais facilmente se raciocinares da seguinte maneira: "Parto desta vida, na qual meus parceiros e companheiros (pessoas no interesse das quais lutei tanto, pelas quais fiz tantas preces, pelas quais tanto me preocupei) se adiantam como os primeiros a desejar me ver morto, na esperança de que disso tirem facilmente algum eventual proveito". Então, por que deveria alguém tornar mais longo seu tempo aqui? Nem por isso, contudo, deves tratar essas pessoas com menor benevolência, mas conservando com fidelidade tua particular disposição de caráter, manifesta amizade, benevolência e afabilidade; essa atitude, porém, não deve deixar crer que recuas em tua posição, mas como a pequena alma que facilmente escapa do corpo por meio de uma boa morte, deves afastar-te dessas pessoas; é fato que foi a elas que a natureza te associou e te uniu. Porém, agora é a separação. Eu me separo como aquele que se separa de familiares íntimos, abrindo mão da resistência, mas também sem sofrer coerção; com efeito, nisso também está presente algo em conformidade com a natureza.

37. Diante de toda ação alheia que observas, acostuma-te, na medida do possível, a indagar a ti próprio o seguinte: "Essa ação está relacionada com qual objetivo?". Mas principia por ti mesmo, sendo tu o primeiro a ser sondado.

38. Recorda-te que o cordão que te move à semelhança de uma marionete é aquilo que está oculto em teu interior; aquilo que produz nosso discurso, aquilo que produz nossa vida, aquilo que, se necessário dizê-lo, faz de nós seres humanos. Nunca o imagines identificado com o recipiente que lhe serve de envoltório ou com os órgãos que lhe estão anexos a seu redor. É, com efeito, semelhante a um *machado de dois gumes*,[18] deste sendo diferenciado exclusivamente pelo fato de que é para nós de nascença. Considere-se que essas partes de nós não nos são mais úteis na ausência da causa que a elas transmite movimento ou imobilidade, como a lançadeira em relação à tecelã, a *pena*[19] em relação ao escritor e o chicote em relação ao condutor da biga.

---

18. No original, "σκεπάρνῳ" (*skepárnoi*).
19. No original, "καλάμου" (*kalámoy*).

LIVRO XI

1. As peculiaridades da alma racional: vê a si mesma, articula a si mesma, conforme sua vontade cria a si mesma; por outro lado, ela própria colhe o fruto que produz (quando, com efeito, os frutos dos vegetais e algo análogo a eles junto aos animais são colhidos por outras criaturas); alcança o fim que lhe é característico independentemente da hora em que é estabelecido o limite de sua vida. Isso não se aplica à dança, à atividade do ator no teatro e a coisas desse gênero, caso em que a ação em seu todo, na hipótese de ser privada de uma de suas partes, torna-se imperfeita; ela, porém, não importa em que porção do todo de sua ação seja surpreendida, gera plenitude e autossuficiência naquilo que se propõe, do que resulta lhe ser possível declarar: "Eu colho o fruto do que é meu".[1] Some-se a isso que ela executa o giro em torno do mundo em sua totalidade, do vazio que o circunda, da forma que o configura, estende-se no infinito da eternidade, abarca a regeneração periódica do universo, pondera e observa que aqueles que nos sucederão nada verão de novo, bem como nada viram de mais extraordinário ou mais notável aqueles que nos precederam; antes, observa que de alguma maneira o indivíduo de 40 anos, mesmo possuidor de escassa inteligência, viu todas as coisas que foram [no passado] e todas as coisas que serão [no futuro] de acordo com o princípio da plena semelhança das coisas do prisma da espécie. E também constituem peculiaridades da alma racional amar o próximo, ser verdadeira, recatada, e priorizar o apreço de si mesma, o que é igualmente característico da lei. Disso resulta não haver nenhum distanciamento nem distinção entre a reta razão e a razão da justiça.

---

1. No original, "'Ἐγὼ ἀπέχω τὰ ἐμά." (*Egò apékho tà emá*).

2. Uma canção encantadora, uma dança, o *pancrácio*[2] serão para ti objetos de desprezo, caso dividas a voz harmoniosa em cada um de seus sons e em relação a cada um deles perguntes a ti próprio se um ou outro deles te conquistou; com efeito, tu te desviarás movido pelo temor ou pela vergonha. No que toca à dança, deves realizar sua divisão em cada um de seus movimentos ou posturas por meio de um procedimento análogo; executa algo idêntico com relação ao pancrácio. Em síntese, não te esqueças, portanto, de penetrar nas coisas até seu âmago mediante a separação de suas partes e de, por meio dessa decomposição, obter êxito quanto a desprezá-las; somente a virtude e aquilo que é dela resultante constituem aqui exceção. Transfere isso para a totalidade de tua própria vida.

3. *Que esteja a alma disposta para, a qualquer momento, libertar-se do corpo e ser extinta, ou dispersa ou permanecer íntegra.*[3] Mas que essa disposição provenha do próprio discernimento e decisão de alguém, não unicamente da resistência obstinada, como ocorre com *os cristãos*,[4] mas de maneira ponderada e digna capaz de persuadir os outros, dispensando a exibição de uma tragédia.

4. Prestei algum benefício à comunidade? Se o fiz, então prestei um benefício a mim. Em todas as ocasiões tem isso sempre em mente e em lugar algum deixes de abrigar esse pensamento.

5. Qual arte é tua? A arte de ser bom. E como passar a ter sucesso em sua correta prática senão com base nesses estudos e investigações, uns cujo objeto é a natureza do universo, enquanto outros têm como objeto a constituição particular do ser humano?

6. Primeiramente, as tragédias eram representadas objetivando evocar os acontecimentos e incidentes que nos atingem, indicar seu caráter

---

2. No original, "παγκρατίου" (*pagkratíoy*). Trata-se de um tipo de combate misto de luta e pugilato.

3. No original, "Οἵα ἐστὶν ἡ ψυχὴ ἡ ἕτοιμος, ἐὰν ἤδη ἀπολυθῆναι δέῃ τοῦ σώματος, καὶ ἤτοι σβεσθῆναι, ἢ σκεδασθῆναι, ἢ συμμεῖναι." (*Hoía estìn he psykhè he hétoimos, eàn éde apolythênai déei toŷ sómatos, kaì étoi sbesthênai, è skedasthênai, è symmeînai.*). O estoicismo de Marco Aurélio associa um contundente pragmatismo existencial a um completo ceticismo metafísico.

4. No original, "οἱ Χριστιανοί" (*hoi Khristianoí*). A despeito dos pontos comuns entre estoicismo e cristianismo em matéria de ética, aqui prevalece a postura prática de um imperador romano.

natural e apontar que os dramas que atraem e encantam no palco não devem nos abater e afligir em um *palco maior*.⁵ Com efeito, levam a ver que é assim que as coisas devem se consumar e que aqueles que sofrem os dramas são os mesmos que bradam: "Ah, Cíteron!".⁶ E os poetas trágicos [autores dos dramas] pronunciam algumas sentenças úteis, como é, sobretudo, a seguinte:

> Se eu e meus filhos somos negligenciados pelos deuses,
> Também isso tem sua razão.⁷
> E ainda...
> De nada vale encolerizar-se com as coisas.⁸
> E...
> Faz a colheita da vida como de uma espiga repleta de grãos.⁹

E ainda tantas outras do mesmo gênero. Ofereceu-se depois da tragédia a comédia antiga, que possuindo liberdade de expressão exerceu uma função educacional e que, em razão de sua ausência de subterfúgios, conseguiu fazer lembrar as pessoas da modéstia. Foi com idêntico propósito que Diógenes empregou esse discurso livre. Depois delas, surgiu a comédia mediana e, para findar, a comédia nova, a qual pouco demorou para descambar em imitação artificiosa. De fato, não se ignora que tenham dado sua contribuição dizendo algumas coisas úteis, mas afinal qual é o objetivo do empreendimento global dessa poesia e dramaturgia?

7. Quão claramente topas com a ideia de que, na vida, não poderia existir uma base mais apropriada para a filosofia do que esta da qual dispões agora!

8. Não é possível cortar um ramo de um galho contíguo sem que esse ramo seja também cortado da árvore inteira. De idêntica maneira, o ser humano que é separado de um único indivíduo humano é seccionado de toda a comunidade. Um ramo, contudo, é cortado por outrem, ou

---

5. No original, "μείζονος σκηνῆς" (*meízonos skenês*). Ou seja, na própria vida.
6. Sófocles, *Édipo Rei*, 1391. Sófocles de Colona (?495 a.C.-?405 a. C.) foi um poeta trágico grego.
7. Eurípides, já anteriormente citado por Marco Aurélio.
8. *Idem*.
9. *Idem*.

seja, por alguém, ao passo o próprio ser humano é o autor de sua separação ao dirigir ódio e aversão a seu próximo, na ignorância de que, por meio dessa ação, está ao mesmo tempo dissociando-se dos integrantes da cidade-Estado como um todo, isto é, de todos os seus concidadãos. Mas ele, como uma exceção, recebeu de *Zeus*,[10] aquele que formou a comunidade e a vida coletiva, a seguinte dádiva: a possibilidade de novamente nos associarmos ao próximo e nos tornarmos novamente um elemento para completar o todo. Entretanto, a repetição reiterada dessa separação torna mais difícil a nova associação e aumenta sumamente a dificuldade de seu restabelecimento para aquele que efetuou a cisão. Em uma palavra, o ramo que desde o início se desenvolveu conjuntamente com a árvore e se conservou graças ao mesmo alento dela não é semelhante ao ramo que, após um corte e uma separação, é reincorporado na planta mediante enxerto, não importa o que digam os jardineiros. Crescer com o tronco, sim; ter o mesmo ponto de vista, não.

9. Do mesmo modo que aqueles que te hostilizam ou se opõem a ti em teu trajeto segundo a reta razão são incapazes de desviar-te de uma conduta íntegra, espera-se que sejam também incapazes de frustrar tua atitude benevolente para com eles. Mas deves tomar cuidado no sentido de estar igualmente atento a duas coisas, nomeadamente, não se limitar a um julgamento e conduta sólidos e somar a estes uma brandura igualmente sólida no que diz respeito a pessoas que procuram criar barreiras em teu caminho ou causar-te outros transtornos e dificuldades. Com efeito, irritar-se com elas, abrir mão de tua conduta e atemorizar-te constituiriam fraqueza de tua parte; tanto a pessoa que se deixa tomar por tremores de um ligeiro temor como a pessoa que se torna indiferente àqueles que, por determinação da natureza, são nossos parentes e amigos; são ambas como soldados que abandonam o campo de batalha.

10. Nenhuma natureza é inferior à arte, uma vez que as artes imitam as naturezas. Assim sendo, não seria possível que a natureza que supera em perfeição todas as demais e que as abrange fosse sobrepujada em matéria de engenhosidade artística. Todas as artes criam as coisas inferiores em função das coisas superiores. A natureza comum também atua assim. Disso resulta o nascimento da justiça, que é o fundamento

---

10. No original, "Διός" (*Diós*).

de todas as outras virtudes; de fato, não há como praticarmos o acatamento à justiça se, na verdade, nós nos deixamos inquietar com as coisas indiferentes ou se nos deixamos ser facilmente vítimas do engano, da temeridade e da inconstância.

11. Se não são as coisas das quais o buscar ou o evitar causam perturbação em ti que te alcançam, mas se és tu que de alguma forma as alcanças, ao menos faz com relação a elas um julgamento sereno; elas se manterão fixas, e tu não serás mais visto nem as buscando nem as evitando.

12. A esfera da alma conserva-se semelhante a si mesma quando não se estendendo externamente nem se contraindo internamente, nem se dispersando, nem se dobrando, mas se iluminando com uma luz, que a capacita a ver a verdade, tanto a referente a todas as coisas como aquela que está dentro dela própria.

13. Alguém me despreza? Isso é sua ocupação. Quanto a mim, ocupo-me em jamais ser descoberto ou flagrado fazendo ou dizendo algo que mereça desprezo. Fulano me odeia? Isso é sua ocupação. Eu, porém, ocupo-me em tratar a todos com benevolência e afabilidade, pronto a assim me manifestar até com a pessoa que me dirige o ódio, não o levando em conta, disposto, inclusive, a fazê-la desistir dele, sem afrontar a pessoa nem exibir minha moderação, mas de modo sincero, conveniente e prático, por exemplo, à maneira do famoso Fócio,[11] se é que ele não recorreu à dissimulação. Com efeito, é preciso que essas coisas existam em nosso íntimo e que se ofereça aos olhares dos deuses uma pessoa disposta a não manifestar irritação com nada nem aflição intensa com nada. Afinal, que mal virá a atingir-te se agires agora de acordo com tua própria natureza e se acolheres de maneira favorável aquilo que é oportuno na determinação presente da natureza do universo, tu que foste escalado na condição de ser humano, tendo como meta ser útil à conveniência comum?

14. Por meio do mútuo desdém, procuram satisfazer-se mutuamente, e no desejo de se superarem entre si fazem concessões mútuas.

15. Dizer "Diante de ti prefiro adotar uma postura de franqueza" cheira mal e soa falso. O que fazes, homem? Não é preciso optar por essa

---

11. Foi um ilustre general e orador ateniense. Contemporâneo de Aristóteles e Demóstenes, foi condenado à morte e executado em 317 a.C., embora fosse inocente.

abertura de discurso. A própria coisa a ser dita a revelará. É algo que deve estar estampado em tua fronte e que tua voz deve expressar diretamente, cabendo ao que é projetado por teus olhos também indicar diretamente a mesma coisa, como o amado que nos olhares do amante logo descobre tudo o que experimentam. Em resumo, é preciso que a pessoa simples e boa seja como alguém que sente o mau cheiro, para que quando acontecer de qualquer indivíduo chegar perto sinta o que ele é, não importando se ele assim o deseja ou não. A prática da simplicidade é um *sabre de gume único*.[12] O que há de mais vil é uma amizade lupina. Entre todos os vícios, foge, sobretudo, desse. A pessoa boa, simples e benevolente retém esses atributos nos olhos, e eles não passam despercebidos.

16. Viver a melhor das vidas constitui um poder que a alma possui em si própria, isso sob a condição de ser indiferente com as coisas indiferentes. Porém, será indiferente sob a condição de ela submeter a exame as coisas indiferentes separadamente em sua relação com o universo, sob a condição de lembrar que nenhuma delas produz a opinião que temos delas e nenhuma vem a nós, mas que se mantêm fixas, sendo nós os responsáveis por emitir julgamentos sobre elas e, por assim dizer, as imprimir em nós mesmos, quando está em nosso poder não fazer isso, e, inclusive, se em nós são secretamente impressas, sem que o saibamos, nos é facultado suprimi-las de imediato; é preciso lembrar, além disso, que essa atenção se dará por pouco tempo e, de resto, tua vida cessará. Ademais, qual é a dificuldade de as coisas serem assim? Com efeito, se obedecem aos ditames da natureza, delas usufrui e são fáceis para ti; mas se contrariam a natureza, busca para ti aquilo que está de acordo com tua natureza e devota-te ardentemente a essa busca, mesmo que inglória. De fato, a todo ser humano é concedido o direito de buscar o bem que lhe é próprio.

17. No que toca a todas as coisas, [deve-se indagar] qual sua origem, quais os elementos que servem de base para a composição de cada coisa, no que se transformará e o que será após sua transformação sem, ademais, ser submetida a nenhum mal com ela.

18. Para começar, [trata-se de indagar] qual a relação existente entre esses seres humanos e eu. É que nascemos em função de uma

---

12. No original, "σκάλμη" (*skálme*).

reciprocidade; outro motivo ou explicação seria ter eu nascido para assumir o comando deles, como o carneiro comanda o rebanho de ovinos, o touro comanda a manada de bovinos. Eleva um pouco mais tua reflexão e parte do seguinte: no caso da inexistência dos átomos, a regente do universo é a natureza. Na hipótese de ser assim, então as coisas inferiores são criadas em função das superiores, enquanto estas são criadas em função umas das outras.

Em segundo lugar, [trata-se de saber] que espécie de gente são esses seres humanos quando estão à mesa, em suas camas e assim por diante; acima de tudo, [trata-se de saber] quais necessidades egressas de seus princípios eles têm como instituídas e vigentes e com que orgulho as cumprem.

Em terceiro lugar, se estão corretos em sua ação, é desnecessário te afligires com isso; se não estão corretos, salta aos olhos que agem involuntariamente e na ignorância. Com efeito, é só involuntariamente que toda alma vem a se privar da verdade ou de proceder conforme o valor de cada coisa. Isso explica o sofrimento e a revolta que experimentam ao ouvirem acusações de serem injustos, ingratos, ávidos, e de uma vez por todas nocivos a seu próximo.

Em quarto lugar, [é necessário admitir] que também tu cometes muitos erros e que não és diferente dos outros; e se deixas de cometer alguns erros, tu contas, entretanto, com a disposição que te levaria a cometê-los, inclusive, se, por causa da covardia ou da sede por glórias ou honras, ou coisas desse gênero, deixas de cometer os mesmos erros.

Em quinto lugar, mesmo se incorrerem em erros, não há como teres certeza disso, pois muitas ações são realizadas discreta e oportunamente. Em síntese, é indispensável inicialmente ter muito conhecimento das coisas antes de se manifestar abertamente, com base em percepção intelectual, acerca de ações alheias.

Em sexto lugar, sempre que te aborreceres exageradamente ou suportares algo penosa ou impacientemente, considera que a vida humana é demasiado curta e que dentro de pouco tempo todos nós desceremos ao túmulo.

Em sétimo lugar, não são as ações dos outros seres humanos que nos perturbam ou incomodam, pois seus princípios estão na faculdade condutora dessas pessoas, mas sim as nossas opiniões sobre essas ações. Basta eliminá-las em um repúdio ao julgamento que delas faz estimando-as como temíveis para dar fim a tua cólera. Bem, como eliminá-las? Raciocinando que elas não são coisas vis para ti. Se, com efeito, aquilo que sucedesse à vileza não fosse o único mal, seria de se concluir que tu perpetrarias inevitavelmente uma grande quantidade de males, tornando-te um malfeitor a cometer toda espécie de crimes.

Em oitavo lugar, quantas são as manifestações de ira e as dores e aflições que agora provamos mais penosas que as próprias coisas que nos levam a ira, dor e aflição!

Em nono lugar, [é preciso considerar que] nada pode derrotar a benevolência desde que seja legítima, sem trejeitos, isto é, espontânea, além de destituída de hipocrisia. Afinal, o que poderia fazer a ti a mais violenta das pessoas se insistires em tratá-la com benevolência? Se oportunamente te diriges a ela e a exortas brandamente, e mesmo na iminência de seres atacado, quando ela tenta fazer o mal a ti, empenhas-te em instruí-la serenamente a agir de outra maneira: "Não, meu filho. A finalidade de termos nascido é outra. Não é a mim que irás ferir, mas a ti, meu filho". Em seguida, deves mostrar-lhe, com perspicácia e em termos gerais, que assim são os fatos e que nem as abelhas nem quaisquer outros animais que vivem naturalmente em comunidade têm uma conduta idêntica a dela. Isso deve ser feito sem ironia e sem insultá-la, mas de modo positivamente afetuoso e sem exibir qualquer ressentimento que possa estar abrigado na alma; tampouco como um professor ou como alguém que o faz para despertar a admiração de outro indivíduo que esteja por perto; dirija-te exclusivamente a essa pessoa, mesmo que na ocasião estejam presentes alguns indivíduos em torno de vós...

Lembra-te desses nove itens fundamentais como se fossem dádivas das Musas[13] e começa, enquanto vives, a ser uma criatura humana; por outro lado, deves tomar cuidado igualmente no sentido de não se encolerizar com as pessoas e naquele de não adulá-las; de fato, ambas essas posturas têm caráter antissocial e acabam sendo danosas. Em teus acessos de cólera tem em mente de imediato que não há virilidade em encolerizar-te, mas que a brandura e a amabilidade, na medida em que

---

13. São as nove divindades geradas por Zeus e Mnemosine, patronas de várias artes e ciências, entre elas, as muitas formas de poesia, a música, a astronomia, a retórica, a dança etc.

são mais humanas, são também mais viris; tem em mente, ademais, que o indivíduo brando e amável tem mais força, fibra e coragem do que aquele que se deixa irritar e encolerizar-se com os outros em um descontrole emocional. Com efeito, quanto mais se avizinha da *ausência das paixões (impassibilidade)*[14] mais está próximo do poder e da força. Como a aflição resulta da fraqueza, também a cólera resulta dela. Ambas significam cair ferido e capitular.

Adicionalmente, se o quiseres, recebe *do condutor das Musas*[15] uma décima dádiva, ou seja, a ideia de que pretender que os maus não cometam maldades e erros é uma noção insana, visto que é exigir o impossível. Todavia, constitui insensatez e tirania admitir que os cometam contra as outras pessoas contanto que não os cometam contra ti, deixando-te incólume.

19. Existem, sobretudo, quatro mudanças de princípio da faculdade condutora que necessitam uma guarda constante e que, caso sejam detectadas, devem ser apagadas, cada uma delas, mediante as seguintes palavras dirigidas a ti próprio: "Esta ideia é desnecessária; contribui para o relaxamento da sociabilidade". Não se origina de ti isso que dirás e, afinal, dizer algo [expressar uma ideia da qual não és a fonte] é maximamente absurdo. Há uma quarta mudança que deves reprovar dirigindo-te a ti mesmo: consiste no fato de tua conduta ser o produto da sujeição da parte mais divina de ti à parte mortal e mais desprezível que pertence a teu corpo e aos aspectos grosseiros que lhe dizem respeito.

20. As partículas aéreas e todas as ígneas que ingressam em tua composição, embora naturalmente com propensão a ascendência, obedecem igualmente às determinações do universo, com o que, dentro desse composto, são retidas aqui embaixo. Também todas as partículas telúricas em ti, assim como as úmidas, ainda que em movimento descendente, igualmente se conservam erguidas em um estado que não é para elas natural. Assim e do mesmo modo, os próprios elementos submetem-se ao universo: quando dispostos ordenadamente, não importa onde, aí permanecem coercitivamente até quando lhes é dado novamente o sinal da dissolução. Não é estranho, então, que somente

---

14. No original, "ἀπαθείᾳ" (*apatheíai*).
15. No original, "τοῦ Μουσηγέτου" (*toŷ Moysegétoy*). Trata-se do deus Apolo.

tua parte inteligente seja rebelde, não obedecendo e se irritando com a posição que ocupa e que lhe foi destinada? E certamente nada de violento lhe é ordenado, mas unicamente aquilo que é de acordo com sua natureza; no entanto, ela não o suporta, mas se conduz em sentido contrário. De fato, o movimento que a leva à injustiça, à falta de moderação e ao desregramento, bem como aos acessos de cólera, às aflições e ao medo, não é senão um distanciamento da natureza e uma insurreição contra ela. Ademais, quando, diante de um acontecimento, tua faculdade condutora se irrita, ela abandona seu próprio posto. Com efeito, não é menos constituída para a devoção religiosa e a veneração dos deuses do que para a justiça. E podemos afirmar que as duas primeiras concorrem para a sociabilidade e, sendo mais antigas que a justiça, têm ascendência sobre as ações justas.

21. O indivíduo cuja vida carece de uma meta única e invariavelmente idêntica é incapaz de manter sua unidade e identidade no desenrolar de toda a sua vida. Mas não basta o que digo a não ser que, a título de adição, perguntes qual deve ser essa meta. De fato, como a concepção que se tem sobre todas as coisas não é coincidente com aquilo que o vulgo parece, de algum modo, considerar bens, havendo, porém, um consenso no que diz respeito a algumas delas, ou seja, as que se referem ao interesse comum; a conclusão é que essa meta, isto é, o interesse *comum e social*,[16] deve ser proposta como fundamento. Aquele que orientar nesse sentido todos os seus impulsos individuais obterá a paridade de todas as suas ações e será, com isso, sempre o mesmo.

22. O rato montanhês e o doméstico, e o terror e a agitação em que o primeiro se viu.[17]

23. Sócrates classificava as opiniões da multidão como Lâmias,[18] ou seja, como objetos para aterrorizar crianças.

24. Em seus espetáculos, os lacedemônios instalavam na sombra os assentos reservados aos estrangeiros, mas quanto a eles próprios, sentavam-se em qualquer lugar.

---

16. No original, "κοινωνικὸν καὶ πολιτικὸν" (*koinonikòn kaì politikòn*).
17. Alusão a uma fábula narrada por mais de um autor: Esopo, Horácio, Bábrio.
18. Imaginava-se que a Lâmia fosse uma criatura monstruosa feminina que sequestrava e comia crianças. Corresponde, *grosso modo*, ao nosso "bicho-papão".

25. Com o objetivo de desculpar-se por não atender a seu convite de visitá-lo, Sócrates disse a Perdícas:[19] A fim de não ser vítima da pior das mortes, isto é, não ser objeto de um benefício que me obriga, por minha vez, a uma retribuição da qual sou incapaz.[20]

26. Havia entre os escritos dos efésios o preceito de ter em mente de modo ininterrupto o exemplo de um dos antigos que tinham cultivado a prática da virtude.

27. Era recomendação dos pitagóricos, já na aurora, fitar o céu para nos lembrarmos dos corpos celestes, que prosseguem sempre na execução de suas próprias tarefas, em conformidade com as mesmas determinações e do mesmo modo invariável, lembrarmo-nos de sua ordem, de sua pureza e de sua nudez, pois nenhum véu cobre um astro.

28. Eis o exemplo de Sócrates que um dia, após Xantipa[21] ausentar-se carregando suas vestes, colocou-se sob um pequeno tosão; e o que disse a seus companheiros e discípulos, que se envergonharam e recuaram ao vê-lo assim coberto.

29. No que diz respeito à escrita e à leitura, não há como começares por ensinar enquanto não houveres aprendido. No que diz respeito à vida, isso é muito mais aplicável.

30. "Uma vez que nasceste escravo, a ti não cabe falar."[22]

31. "Meu caro coração se rejubila."[23]

32. "É dizendo palavras ásperas que acusarão a virtude."[24]

33. "Ansiar por um figo na figueira no inverno é sentimento de louco; também é sentimento de louco ansiar por um filho que não é mais consentido."[25]

34. "Ao beijar ternamente teu filho", dizia Epicteto, "deves em teu íntimo dizer: Talvez morras amanhã. – Isso é mau augúrio. – Nenhum mau

---

19. Ignoramos a qual Perdícas Marco Aurélio se refere, já que esse nome foi comum a vários membros da família real da Macedônia. Provavelmente, trata-se do rei da Macedônia que foi pai de Arquelau, usurpador do trono em 413 a.C.
20. Cf. Aristóteles, *Retórica*, Livro II, 23, 1398a25. Embora o teor seja semelhante, não é o mesmo texto; ademais, Aristóteles indica Arquelau e não Perdícas.
21. Esposa de Sócrates.
22. O autor desta passagem nos é desconhecido.
23. Cf. Homero, *Odisseia*, IX, 413.
24. Cf. Hesíodo, *Os trabalhos e os dias*, 186.
25. A passagem é de Epicteto.

augúrio", disse ele, "mas a indicação de certo fato natural; se fosse assim, seria de mau augúrio afirmar em relação às espigas que serão colhidas".[26]

35. "Uva verde, uva madura, uva seca, todas são transformações; não para o não ser, mas para aquilo que não é ainda."[27]

36. "Não existe ladrão do *livre-arbítrio*."[28] Isso é de Epicteto.[29]

37. "Deve-se", disse ele, "descobrir uma arte acerca do dar aprovação"; e na passagem sobre os empreendimentos acrescentou: "deve-se tomar cuidado no sentido de estar atento para que tais empreendimentos sejam efetivados com as devidas reservas e restrições, para que sejam do interesse comum, para que sejam executados considerando o valor das coisas; no que toca aos desejos, convém de todo modo se furtar a eles, ao passo que, quanto àquilo que nos cabe evitar, não se deve fazê-lo em relação a nada que não está em nossa dependência".[30]

38. "O debate não é sobre um assunto casual", disse ele, "mas gira em torno de sermos loucos ou não".[31]

39. Dizia Sócrates: "O que quereis? Possuir as almas de seres racionais ou de seres irracionais? – Racionais. – De quais seres racionais: dos íntegros ou dos deficientes e maus? – Dos íntegros. – Então por que não as buscais? – Porque as possuímos. – Então qual é o motivo de vosso confronto e de vossa disputa?".[32]

---

26. A passagem é de Epicteto.
27. *Idem.*
28. No original, "προαιρέσεως" (*proairéseos*). Também significa prévia escolha.
29. Essa passagem é de Epicteto.
30. *Idem.*
31. *Idem.*
32. O autor desta passagem nos é desconhecido.

LIVRO XII

1. Todas as coisas pelas quais anseias e que procuras por caminhos sinuosos poderias tê-las desde já se, por malevolência contigo mesmo, não as negasse para ti, isto é, se deixasses atrás de ti o passado em sua totalidade, se confiasses o futuro à Providência e se procurasses concentrar-te restrita e exclusivamente no presente, construísses para ele uma rota na direção da devoção religiosa e da justiça. Na direção da devoção religiosa, para que tenhas amor pelo lote que foi a ti atribuído; com efeito, esse lote foi a ti destinado pela natureza, e tu foste por ela destinado a ele. Na direção da justiça, para que teu discurso seja verdadeiro e para que tuas ações sejam de acordo com a lei e segundo o valor das coisas, isso livremente e de maneira não intricada e tortuosa. Não te deixes tolher pela maldade dos outros, por seus pontos de vista nem pelo que falam e sua forma de falar, tampouco pelas sensações *do bocado de carne disposto em torno de ti*,[1] pois compete ao que sofre considerá-lo. Se, então, não importa quando será teu desenlace, nesse momento deixas de lado todas as outras coisas para honrar apenas a tua faculdade condutora e o que há em ti de divino; se teu temor não é aquele de algum dia cessar de viver, mas aquele de nunca principiar uma vida em harmonia com a natureza, tu serás uma pessoa digna do mundo que te gerou, não serás mais um estrangeiro para tua pátria, não te surpreenderás mais, como se diante do inesperado, com os acontecimentos cotidianos, e não ficarás mais na dependência de uma coisa ou de outra.

2. O deus vê a nu todas as partes condutoras [de nossas almas] sob seus invólucros materiais, suas coberturas e substâncias impuras. E, unicamente com sua própria inteligência, só faz contato com os seres que fluem dele mesmo e que o têm como sua fonte. Tu, inclusive, se te habituares a imitá-lo, eliminarás com isso muitos embaraços a tua volta.

---

1. No original, "τοῦ περιτεθραμμένου σοι σαρκιδίου" (*toŷ peritethramménoy soi sarkidíoy*).

Com efeito, a pessoa que não enxerga o corpo que lhe serve de envoltório se preocupará, sacrificando seu ócio, com vestimentas, moradia, reputação e demais coisas materiais que giram em torno disso e com ostentação e encenação?

3. Tu és a combinação de três coisas, nomeadamente: *um corpo precário, um sopro de vida, uma inteligência*.[2] Dessas coisas, as duas primeiras só são tuas na medida em que te ocupes e te empenhes em cuidar delas; somente a terceira é propriamente tua, legitimamente tua. Se afastas de ti, isto é, de teu pensamento, tudo aquilo que os outros fazem ou dizem, ou tudo aquilo que tu mesmo fizeste ou disseste, tudo aquilo que te perturba quanto ao futuro, tudo aquilo que, à revelia de tua vontade, se une, por outro lado, a ti [aquilo que é pertencente ao corpo precário que te serve de invólucro ou ao sopro vital que te é congênito], e tudo aquilo que o turbilhão externo faz correr copiosamente ao redor, resultando que o poder de tua inteligência, libertado de tudo o que está submetido às eventualidades do destino, completo e puro, viva por si mesmo no cultivo e na prática da justiça, na aceitação dos acontecimentos e no discurso verdadeiro... Se afastas, digo, dessa faculdade condutora o que se origina do passional e aquilo que é futuro ou passado e fazes de ti próprio como exemplificado por Empédocles: "Uma esfera impecavelmente redonda jubilosa de sua estacionária redondeza".[3]

Se te empenhas em viver apenas a vida que a ti se apresenta, isto é, a vida presente, estarás capacitado a viver o resto de tua existência até tua morte livre de perturbações, com nobreza e com favorecimento de tua própria divindade tutelar.

4. Foram frequentes as ocasiões em que me espantei com o fato de cada ser humano, mesmo amando a si mais que aos outros, dar, entretanto, menor importância à opinião que tem de si mesmo do que àquela que as outras pessoas têm dele. E se algum deus ou sábio professor determinasse que nada refletisse por si mesmo e nada concebesse por si mesmo sem simultaneamente proclamá-lo, não lhe seria possível nem por um único dia suportá-lo. O resultado é respeitarmos mais o que pensam nossos próximos de nós que o que pensamos de nós mesmos.

---

2. No original, "σωμάτιον, πνευμάτιον, νοῦς" (*somátion, pneymátion, noŷs*).
3. Fragmentos 27, 28, Diels.

5. Como entender que os deuses, que tudo ordenaram de modo admirável e com amor à humanidade, tenham sido negligentes neste único ponto, a saber, que certos seres humanos absolutamente bons e honrados, depois de terem, por assim dizer, celebrado tantos pactos com a instância divina, depois de por tanto tempo [graças a seus atos de devoção religiosa e a realização de sacrifícios e cerimônias religiosas] haverem se convertido em familiares dos deuses, não voltem à vida ao menos uma vez após sua morte, estando completamente extintos? Se de fato é isso, podes estar positivamente certo de que, se as coisas tivessem de ser de outra maneira, assim teria sido feito por eles. Com efeito, é certo que o que fosse justo teria igualmente ganhado possibilidade e que a natureza teria feito ser consumado aquilo que fosse de acordo com ela. Na hipótese de não ser isso, se é que pode não ser isso, convence-te de que não carecia que fosse de outro modo, pois vês por ti próprio que, realizando essa vã investigação, advogas contra a instância divina. Porém, não fossem os deuses sumamente bons e sumamente justos, não poderíamos discutir com eles. Se é assim, não é possível que, de maneira injusta e irracional, cometessem uma negligência quanto a algo na ordenação [do mundo].

6. Acostuma-te a tudo que te subtrai a esperança e a coragem. De fato, é a mão esquerda, sem destreza em tudo o mais por carência de hábito e uso, que empunha as rédeas com mais firmeza que a direita. Ela foi habituada a isso.

7. Pensa de quais disposições de corpo e de alma deverás estar de posse quando fores surpreendido pela morte; reflete na efemeridade da vida, no vazio colossal do tempo que te antecedeu e que te sucederá, na debilidade de toda a matéria.

8. Examina as causas formais a nu, ou seja, despidas de seus envoltórios; as referências e finalidades das ações, o que é a dor, o que é o prazer, o que é a morte, o que é a reputação, quem é aquele que é a causa para si de suas próprias dificuldades, como ninguém constitui uma barreira para outras pessoas, que tudo não passa de opinião.

9. Quando se faz uso dos princípios, é preciso agir à semelhança do lutador de pancrácio e não do gladiador; de fato, caso este último deixe cair o instrumento que utiliza – ou seja, a espada –, será morto. Quanto ao lutador de pancrácio, conta sempre com a mão e tudo o que precisa é cerrar o punho.

10. Trata-se de ver as coisas em si mesmas, distingui-las do ponto de vista de sua matéria, de sua causa e de suas referências e finalidades.

11. Quão grande poder possui o ser humano, o qual consiste em não fazer nada, exceto aquilo que é aprovado pelo deus, e em aceitar tudo aquilo que o deus lhe atribui.

12. Quanto ao que resulta da natureza, não é o caso de acusar os deuses, visto que nunca incorrem em erro, voluntária ou involuntariamente; tampouco acusar os seres humanos por isso, pois só erram involuntariamente. Portanto, ninguém deve ser acusado.

13. Quão ridícula e estranha é a pessoa que mergulha no pasmo diante de quaisquer acontecimentos da vida!

14. *Ou um destino fatal e uma ordem inviolável e imutável, ou uma Providência propiciatória, ou uma confusão do acaso destituída de condutor.*[4] Se for o caso de uma necessidade imutável, qual a razão de ofereceres resistência? Se tratar-se de uma Providência que comporta flexibilização e que é propícia, torna-te merecedor do amparo de origem divina. Porém, na hipótese de tratar-se de uma confusão carente de condutor e regente, alegra-te, mesmo instalado nesse tumulto, pelo fato de possuíres em ti uma inteligência condutora. Entretanto, se és arrastado pelo tumulto, isso não importa... Ele pode arrastar tua carne, teu sopro vital, qualquer coisa que seja inerente. Tua inteligência efetivamente não será arrastada.

15. Ou seria o caso de enquanto a luz de uma candeia continuar a brilhar até que se apague, sem perder sua luminosidade radiante, o mesmo não acontece com a verdade, a justiça e o bom senso, que apagariam antes?

16. No que toca à pessoa cuja ação te sugeriu a ideia de que cometeu uma falta, pondera: "Será que sei, afinal, o que é um erro ou uma falta?". E supondo que tenha realmente errado, acrescenta que condenou a si mesma, como se houvesse dilacerado a própria visão.

O indivíduo que não compreende que as pessoas más cometem maldades assemelha-se ao indivíduo que se nega a compreender o fato de a

---

4. No original, "Ἤτοι ἀνάγκη εἱμαρμένη καὶ ἀπαράβατος τάξις, ἢ πρόνοια ἱλάσιμος, ἢ φυρμὸς εἰκαιότητος ἀπροστάτητος." (*Étoi anágke heimarméne kaì aparábatos táxis, è prónoia hilásimos, è phyrmòs eikaiótetos aprostátetos.*).

figueira transmitir seiva aos figos, de os recém-nascidos se porem a chorar, de o cavalo relinchar e todas as demais coisas desse tipo que têm o selo da necessidade. Imaginas o que sofre alguém que se acha em tal disposição? Se assim te lanças nesse gênero de impetuosidade, trata de curar-te.

17. Se não é algo no elenco de teus deveres, não o faz; se não é verdadeiro, não o diz.

18. Convém, de fato, considerar sempre em tudo o próprio impulso que produz em ti a ideia, passar a sua elucidação decompondo-a em sua causa, em seu aspecto material, em sua finalidade, em seu tempo de duração no seio do qual terá de deixar de existir.

19. Compreende, enfim, que em ti próprio tens algo que é mais poderoso e mais divino que aquilo que em ti gera e promove as paixões e que, de uma vez por todas, te manipula como uma marionete. O que está agora em meu pensamento? Não é o medo? Não é a suspeita? Não é o desejo? Não é qualquer outra coisa desse gênero?

20. Em primeiro lugar, nada fazer ao acaso e sem ter para isso uma meta como referência. Em segundo lugar, a relação de nossas ações deve ser unicamente com um fim que favorece o interesse comum.

21. Convém que penses que em pouco tempo não estarás em lugar nenhum, nem entre essas coisas que agora vês, nem entre esses seres vivos atualmente existentes. Com efeito, todas as coisas nascem em função de se transformarem, evoluírem em novas direções e, então, se corromperem para que outras coisas venham a ser.

22. Tem em mente que tudo é apenas opinião e que esta depende de ti. Assim, se o quiseres, suprime tua opinião e, tal qual [uma embarcação] que contornou um promontório, terás diante de ti um mar calmo, totalmente estável, e um golfo no qual as ondas estarão ausentes.

23. Qualquer atividade que cessa, na ocasião oportuna e devida, não sofre nenhum mal por ter atingido seu desfecho; tampouco o agente dessa ação sofrerá algum mal por causa de seu fim. Igualmente, se o conjunto de todas as ações constituintes da vida se detém na ocasião devida, não sofrerá com isso nenhum mal por conta dessa interrupção, tampouco aquele que fez cessar na ocasião devida essa sucessão de ações experimenta com isso algum mal. É a natureza que determina essa ocasião devida, esse limite: às vezes, a natureza individual, quando é a velhice que causa a morte de alguém, geralmente, a natureza universal;

esta, submetendo à transformação suas partes, conserva o mundo inteiro sempre jovem e no auge de sua força. O que é proveitoso ao universo é sempre bom, belo e conveniente do prisma do tempo. A cessação da vida, portanto, não constitui mal algum para o indivíduo, não lhe acarretando nenhuma desonra, em primeiro lugar porque não está na esfera de sua prévia escolha, em segundo porque não prejudica a comunidade; antes, constitui um bem em razão de ocorrer na ocasião oportuna e devida para o universo, ser-lhe vantajosa e guardar harmonia com ele. Disso concluímos que é inspirado por uma divindade o indivíduo que se move rumo às mesmas coisas divinas e que, guiado pelo bom senso, se move rumo a idênticos fins.

24. É preciso ter estas três coisas em mente de imediato. [Primeira:] no tocante a tuas ações, não as realizar aleatoriamente nem de maneira distinta daquilo que a própria justiça teria exigido que fossem realizadas; no tocante aos acontecimentos externos, é o caso de conscientizar-te de que se devem, ou ao acaso ou à Providência, não fazendo sentido nem acusar o acaso por sua ocorrência nem culpar a Providência pela mesma coisa. Segunda: é preciso pensar no que se torna cada indivíduo desde o momento em que é concebido até o momento em que recebe o sopro da vida, e deste até o momento da restituição da alma; ademais, a partir do que é composto e no que vai se decompor. Terceira: se viesses a observar meticulosamente as coisas humanas e sua variedade do alto, uma vez subitamente suspenso nas alturas, ao abarcares simultaneamente com o olhar essa vasta região povoada por habitantes aéreos e etéreos, só poderias atribuir desprezo a tais coisas humanas; e todas as ocasiões em que te elevasses às alturas observarias novamente o mesmo espetáculo, sua inalterável e completa uniformidade e sua efemeridade. É para se orgulhar disso?

25. Joga fora a opinião e, com isso, estarás seguro. Portanto, o que te barra jogá-la fora?

26. Toda vez que te impacientas com algo, esqueces que tudo acontece em conformidade com a natureza do universo, que os erros alheios não te dizem respeito, que tudo o que acontece sempre aconteceu, continuará a acontecer e agora acontece em todo lugar; e que o parentesco a vincular o ser humano ao gênero humano em sua totalidade não é determinado pelo sangue nem pelo sêmen, mas por uma *comunidade*

da inteligência.[5] Ademais, esqueces que a inteligência de cada um é a Divindade e que dela emana; que nada é propriedade pessoal de ninguém, mas que nosso filho, nosso corpo precário e nosso sopro vital dela procedem; que tudo tem caráter de suposição ou opinião; que cada um vive apenas o presente e que este é tudo o que se perde.

27. Não cansa de lembrar-te continuamente daqueles que, sob um estímulo ou outro, se irritaram ou se indignaram até as raias do excesso, os mesmos que conquistaram as mais grandiosas honrarias ou envolveram-se em incidentes calamitosos, ou granjearam inimizades, ou tiveram as sortes mais variadas; em seguida, detém tua atenção nisto: o que sobrou atualmente de todas essas coisas? Resposta: fumaça, cinzas, fábulas... ou nem sequer fábulas. Traz a teu espírito ao mesmo tempo todos os exemplos disso, como Fábio Catulino no seu campo, Lúcio Lupo nos seus jardins, Estertino em Baiae, Tibério em Capri, Vélio Rufus[6] e, em síntese, todos os que se destacaram em algo e que tinham de si mesmos elevada opinião: quão insignificante foi o valor de todos os seus esforços! E quão mais próprio de um filósofo foi se revelar na matéria que se lhe apresentava justo, moderado e seguidor dos deuses com submissão e simplicidade. Com efeito, entre todas as formas de orgulho, a que se esconde sob a ausência de orgulho é a mais intolerável.

28. Àqueles que a ti formulam a questão "Afinal, onde viste os deuses, ou melhor, de onde tiraste a concepção de que existem, visto que és deles devoto?", podes responder deste modo: *"Para começar, são visíveis aos nossos olhos"*;[7] em seguida, embora jamais tenha visto minha alma, eu a tenho em alta estima. O mesmo, portanto, vale para os deuses; com base nos indícios que experimento a cada dia de seu poder, chego à concepção de sua existência e lhes presto reverência.

29. Para a salvação ou preservação da vida, requer-se conhecer de maneira cabal o que cada coisa é em si mesma, de que matéria é

---

5. No original, "νοῦ κοινωνία" (*noý koinonía*).
6. Fabius Catullinus foi cônsul sob o governo de Adriano (117-138 d.C.). Tibério (42 a.C.-37 d.C.) foi o segundo imperador romano (14-37 d.C.). Os demais nos são desconhecidos.
7. No original, "Πρῶτον μὲν καὶ ὄψει ὁρατοί εἰσιν" (*Prôton mèn kaì ópsei horatoí eisin*). A observação soa estranha, mas devemos lembrar que os deuses da religião romana, como os da grega, eram representados antropomorficamente pelas artes (escultura e pintura, por exemplo).

constituída, qual é sua causa formal. Por outro lado, praticar a justiça com toda a alma e dizer a verdade. O que resta senão extrair da vida todo partido e oportunidade para construir uma cadeia de boas ações sem nem sequer um só intervalo entre elas... mesmo o mais curto?

30. A luz do sol é uma, embora se dividindo por conta de muros, montanhas e outras inúmeras barreiras. A substância comum é uma, embora se dividindo em tantos quantos inúmeros corpos. O *sopro da vida*[8] é um, embora se dividindo em inúmeras naturezas e confinado individualmente. A *alma inteligente*[9] é uma, embora pareça se dividir. Entre essas frações ou partes distintas, existem algumas, a exemplo dos *sopros vitais*[10] e de seus substratos, que são desprovidas de sensibilidade e não têm parentesco entre si; todavia, a força inteligente unificadora e o peso exercido sobre elas sustentam essas mesmas partes. Mas a inteligência, em função de seu cunho particular, dirige-se para aquilo que é de sua mesma espécie, a ele se reúne e é impossível romper essa sua paixão no sentido de se comunicar, ser participativa e social.

31. O que buscas? Sobreviver? Para experimentar sensações? Experimentar impulsos instintivos? Para crescer e, em seguida, decrescer e encontrar um fim? Para fazer uso de tua voz e de tuas palavras? Para pensar? O que vês em tudo isso que seja digno de um desejo ardente? Entretanto, se realmente achas que cada uma dessas coisas só merece desprezo, aceita finalmente acatar a razão e o poder divino. É, porém, contraditório conferir apreço a essas coisas e, ao mesmo tempo, angustiar-se com a perspectiva de que pela morte seremos privados delas.

32. Quão minúscula é a porção do tempo ilimitado e infinito que foi destinada a cada um de nós! Com efeito, com suma celeridade se desvanecerá na eternidade. Que porção irrisória da substância do universo! Que porção insignificante da *alma do universo*![11] Para qual minúsculo torrão da terra universal te moves penosamente? Em meio a essa reflexão, firma-te na ideia de que nada tem grande importância, exceto se agires como orienta a natureza e suportares o que a natureza comum te traz.

---

8. No original, "ψυχή" (*psykhé*). Presumível referência à alma do mundo.
9. No original, "νοερὰ ψυχή" (*noerà psykhé*).
10. No original, "πνεύματα" (*pneýmata*).
11. No original, "ὅλης ψυχῆς" (*hóles psykhês*).

33. Como tua faculdade condutora utiliza a si mesma? Tudo, com efeito, está nela. Quanto ao resto, esteja ou não no domínio de tua prévia escolha, é tão somente cadáver e fumaça.

34. O que fomenta sobremaneira o desprezo pela morte é estar ciente de que aqueles que julgaram o prazer um bem e a dor um mal, entretanto, fizeram dela objeto de desprezo.

35. A morte nada tem de amedrontador para a pessoa que considera que é bom apenas aquilo que acontece no momento oportuno, a pessoa para a qual é igual executar uma quantidade maior ou menor de ações conforme a reta razão e a pessoa para quem tem pouca importância observar o mundo por mais ou menos tempo.

36. Ó homem, viveste na qualidade de cidadão dessa grande cidade-estado! Que diferença faz para ti se foram cinco ou três anos? Afinal, é igual para todos o que é de acordo com as leis. Assim, o que há de terrível no fato de teres sido mandado embora da cidade, não por um tirano ou por um juiz injusto, mas pela natureza que nela te introduziu? Como uma situação em que o pretor tirasse de cena o ator cômico que fora acolhido por ele. – Mas eu não interpretei os cinco atos; interpretei somente três. – Tua interpretação foi boa; na vida, entretanto, bastam três atos para o drama estar completo. Com efeito, aquele que determina o desfecho é o mesmo que há pouco foi a causa de tua composição e que agora é causa de tua dissolução. Não és responsável por nenhuma. Portanto, parte de boa vontade e sob ventos propícios; aquele que te mandou embora assim agiu de boa vontade.

MARCO AURÉLIO: BREVES TRAÇOS BIOGRÁFICOS

Marcus Aurelius Antoninus – para nos restringirmos ao nome adotado por Marco Aurélio ao assumir o trono – nasceu em berço de ouro, no ano 121 d.C., em 26 de abril, em Roma. Filho de família patrícia, seu pai, Annius Verus, era prefeito e cônsul; sua mãe, Domitia Lucilla, era dama nobre em mais de uma acepção, pois, além da posição social privilegiada e de sua elegância e graça, era extremamente culta, a ponto de dominar a língua grega, escrevendo nesse idioma com perfeição. Marco Aurélio praticamente não conheceu o pai, que morreu ainda jovem.

Como ele próprio esclarece nas *Meditações*, nunca frequentou a escola pública. Assim, toda sua diversificada educação foi obtida de professores particulares. Apesar de sua constituição física frágil, permanecendo uma pessoa enfermiça a vida inteira, aos 6 anos foi admitido na Ordem Equestre e, aos 8 anos, no Colégio Sacerdotal; aos 12 anos, envergou a toga pretexta e já estava envolvido com a filosofia helênica, não tardando para aderir ao estoicismo e já começar a praticar a disciplina e a austeridade recomendadas por essa corrente filosófica.

Após a morte do pai, Marco Aurélio ficara aos cuidados da mãe e do avô paterno, mas ainda adolescente foi adotado por Antonino Pio, que sucedera o imperador Adriano, que havia falecido em 138 d.C. Em 140 d.C., aos 19 anos, Marco Aurélio conquistou o consulado. Depois de muitos anos de convívio ao mesmo tempo afetuoso e proveitoso com o imperador Antonino, ele, príncipe herdeiro, assumiu o governo do Império aos 40 anos, em 161 d.C., após a morte de seu augusto pai, considerado por muitos historiadores o mais digno de todos os imperadores de Roma.

O período durante o qual Marco Aurélio reinou (161 d.C.-180 d.C.) foi marcado por dificuldades de toda ordem: surto epidêmico e fome em Roma; insurreições internas; ameaças e ataques nas fronteiras de inimigos de Roma, principalmente os partos e os povos germânicos (quados, sármatas, marcomanos, iázigos). Embora tenha feito de Lucius Verus seu irmão adotivo e parceiro na administração do Império, isso de nada lhe valeu, pois o irmão era avesso às responsabilidades e preferia simplesmente gozar a vida, mesmo porque compartilhava a fortuna do imperador. A corregência que instaurou com seu filho Cômodo, em 172 d.C., resultou em fracasso dada a índole deplorável desse único filho vivo, que viria a sucedê-lo no trono em 180 d.C. Foi só em 175 d.C. que a derrota das hordas bárbaras se concretizou. No plano familiar, Marco Aurélio teve de sepultar Faustina, a filha de Antonino Pio que ele desposara quando fora adotado.

Finalmente, o fatigado e debilitado imperador pôde empreender uma viagem com a qual sempre sonhara: visitou os principais centros da cultura grega, que os romanos, a despeito de conquistadores da Grécia, haviam prudentemente preservado: Éfeso, Esmirna e, é claro, Atenas. Nesta cidade, pérola incontestada filosofia helênica, Marco Aurélio concedeu um apoio inestimável à manutenção das quatro grandes escolas de filosofia ocidentais do mundo antigo: a Academia de Platão, o Liceu de Aristóteles, o Pórtico de Zenão e o Jardim de Epicuro.

Em 178 d.C., ocorreu novo ataque maciço dos povos bárbaros, dessa vez na Panônia; mais uma vez, o imperador envolveu-se pessoalmente nos conflitos, coordenando as legiões romanas, apenas com o impulso do dever, pois o que mais ansiava era a paz. Entretanto, provações pungentes ainda estavam reservadas a ele: além dos horrores da guerra e do combate aos inimigos do Império, uma epidemia veio ceifar a vida de seus comandados e soldados. Atingido por esse mal, o devotado imperador, que jamais gozara de vigor físico em toda sua vida, extenuado e condenado ao leito, exalou seu derradeiro alento em 9 de abril de 180 d.C., pouco antes de completar 59 anos.

Edson Bini

Este livro foi impresso pela Gráfica Piffer Print
em fonte Minion Pro sobre papel Pólen Bold 70 g/m²
para a Edipro.